C L ... N E

G R A N ... V R E S

IARI

10657212

MOLIÈRE

Raconté par
VINCENT LEROGER

Collection dirigée par
ISABELLE JAN

HACHETTE
58, rue Jean-Bleuzen
92170 Vanves

Crédits photographiques : p. 5, Nicolas Habert, Lauros-Giraudon ; p. 6, d'après Brisart, Jean-Loup Charmet ; p. 17, Jean-Loup Charmet ; p. 28, François Delpech et Hippolyte Lecomte, Lauros-Giraudon ; p. 41, Jean-Loup Charmet ; p. 50, Alphonse Lalauze, Lauros-Giraudon ; p. 62, d'après François Boucher et Laurent Cars, Giraudon ; p. 75, gravure par Buyp, Roger-Viollet.

Couverture : Agata Miziewicz ; illustration, peinture anonyme du XIXe siècle, Jean-Loup Charmet.

Conception graphique : Agata Miziewicz.

Composition et maquette : Joseph Dorly éditions.

Iconographie : Christine de Bissy.

ISBN : 2-01-020315-1

Sommaire

L'AUTEUR ET SON ŒUVRE 5

REPÈRES 7

Tartuffe : L'histoire d'une famille 9

À l'église 10

Tartuffe en famille 20

Tartuffe maître dans la maison 33

Tartuffe amoureux 47

Tartuffe et le roi 63

DOSSIER : L'AFFAIRE TARTUFFE 71

Louis XIV prend le pouvoir 72

Les dévots et la Compagnie du Saint-Sacrement 73

Molière défend le théâtre 74

Trois *Tartuffe*, un *Dom Juan* 76

MOTS ET EXPRESSIONS 78

NOTE : les mots accompagnés d'un * dans le texte sont expliqués dans « Mots et expressions », en page 78.

Les illustrations de cet ouvrage sont tirées de gravures du XVIIᵉ, XVIIIᵉ et XIXᵉ siècles. Elles proviennent de la Bibliothèque nationale et de la bibliothèque de la Comédie-Française.

L'auteur et son œuvre

Jean-Baptiste Poquelin est né à Paris en janvier 1622. À vingt ans il quitte la maison de son père pour devenir acteur dans l'Illustre-Théâtre. Il prend alors le nom de Molière. Pendant treize ans, il va de ville en ville, dans toute la France, jouer les pièces qu'il écrit lui-même. De retour à Paris, Molière est aidé par le frère de Louis XIV et joue devant le roi qui lui donne le théâtre du Palais-Royal (la future Comédie-Française). Il écrit alors ses plus grandes pièces : *l'École des femmes* (1662), *le Tartuffe* (1664), *Dom Juan* (1665), *le Misanthrope* (1666), *les Femmes savantes* (1672).

Il mène une vie épuisante. Il est à la fois auteur, metteur en scène et directeur de troupe, et c'est lui qui joue les premiers rôles. Il est le valet qui fait des farces comme Scapin ou Sganarelle, mais aussi le mari trompé, le personnage fou ou ridicule comme l'Avare ou le Bourgeois gentilhomme. Dans *Tartuffe*, il jouait le rôle d'Orgon.

Le 17 février 1673, en jouant *le Malade imaginaire*, il est malade et meurt en quittant la scène.

Molière est le plus grand et le plus connu des auteurs de théâtre français.

Brisart d.   Jc Sauvé f.

La pièce est jouée devant le roi Louis XIV, pour la première fois, le 12 mai 1664.

Repères

Au XVIIe siècle, en France, le théâtre est la forme littéraire la plus importante. Le roman, comme on le connaît depuis le XIXe siècle, n'existe pas encore. La poésie n'est plus à la mode. Il y a alors deux sortes de pièces de théâtre : les comédies et les tragédies.

Une comédie est une histoire inventée, souvent drôle, qui raconte la vie privée des gens normaux. La tragédie, elle, raconte des événements historiques du passé et met en scène des rois et des grands personnages. Elle se termine toujours par la mort des héros.

Il est interdit de mélanger les deux. Mais comédie ou tragédie doivent être écrites selon « la règle des trois unités » : il ne doit y avoir qu'une seule action, qui se passe dans le même endroit, et ne doit pas durer plus d'une journée. La pièce du *Tartuffe* obéit à ces trois règles.

Avant Molière, la comédie était surtout faite pour les gens du peuple. Il y avait la comédie « d'intrigues », racontant une histoire très compliquée : enfants perdus et retrouvés, amours malheureuses, déguisements, méchants et gentils. Mais ça se finissait toujours bien. Il y avait aussi la « farce », dont le but était seulement de faire rire, avec toujours les mêmes personnages : le vieux, les deux amoureux, la servante amusante, le docteur idiot, le soldat qui a toujours peur, Arlequin, Colombine, etc. Molière lui-même a écrit des farces. Mais les plus célèbres de ces farces étaient jouées par les Italiens : c'était la *commedia dell'arte*, où les acteurs inventaient souvent leur texte pendant le spectacle.

Vers 1630, Corneille et Rotrou inventent une nouvelle forme de comédie qui ressemble aux comédies

.../...

de l'Antiquité grecque et romaine. Les personnages sont des « caractères » — c'est-à-dire des défauts ou des qualités humaines : le menteur, le joueur, etc.

Ce n'est qu'à partir de 1660, avec Molière, que ces « caractères » deviennent des personnages ressemblant à la réalité.

Les rois et les reines des tragédies de Racine deviennent plus humains. Un peu plus tard, Marivaux mettra un peu de tristesse dans les situations drôles de ses comédies.

Il faudra attendre encore cent cinquante ans pour que les romantiques, surtout Victor Hugo, décident de ne plus respecter la règle des trois unités et de mélanger dans leurs pièces la comédie et la tragédie.

Tartuffe

L'histoire d'une famille

À l'église

Le 23 décembre 1663, M. Orgon Pernelle sortit à cinq heures de sa belle maison parisienne pour aller à l'église. Il faisait froid, malgré un beau soleil d'hiver.

«La promenade sera agréable», se dit Orgon.

Puis il rougit d'avoir pensé cela : il avait oublié que c'était le jour du dixième anniversaire de la mort de sa première femme, Éliante. Il y avait trop longtemps qu'il n'était pas allé lui rendre visite au cimetière[1] !

Pourtant, pendant sept ans, tous les jours, à cinq heures du soir, Orgon avait emmené ses deux enfants, Damis et Mariane, sur le long chemin qui allait de sa maison au cimetière, et du cimetière à l'église, où ils priaient pour le repos de la morte. Et puis, un jour de 1661, son vieil ami Argas était venu le voir :

– Orgon, lui avait-il dit, tu ne peux pas rester comme ça toute ta vie. Cela fait sept ans qu'Éliante est morte. Tes enfants ont grandi : Damis a quinze ans et Mariane treize. Il faudra les marier dans quelques années. Tu vas te retrouver tout seul avec ta vieille mère, Mme Pernelle, alors que tu n'as même pas quarante ans. Enlève donc tes vieux vête-

---

1. Cimetière : endroit où on met les morts sous la terre.

ments noirs, habille-toi comme les gens à la mode, profite de la vie et de ton argent. Je t'emmène dans le monde [1].

Orgon avait d'abord protesté, puis il avait fini par suivre son ami. Au bal où Argas l'avait emmené, il avait rencontré Elmire, une belle jeune femme de vingt-deux ans. Il en était tombé tout de suite amoureux et l'avait épousée. Cela faisait trois ans déjà. Comme le temps passe vite !

– Et pendant trois ans, je ne suis jamais plus allé rendre visite à ma pauvre Éliante. Dieu va se fâcher, c'est sûr.

– Eh bien, mon beau-frère, vous parlez tout seul, maintenant ? Vous n'êtes pas si vieux que cela, pourtant !

Perdu dans ses pensées, Orgon n'avait pas vu venir Cléante, le frère de sa femme Elmire, un homme d'une trentaine d'années, toujours aimable et souriant. Les deux hommes se serrèrent la main.

– Vous êtes donc revenu de voyage ? demanda Orgon, fâché d'avoir été surpris. Êtes-vous déjà allé à la maison déposer vos bagages et saluer votre sœur ? Elmire sera bien contente de vous voir. Et les enfants aussi... Je crois que ma famille vous préfère au vieil homme que je suis.

– Allons, mon beau-frère, à quarante-deux ans, on n'est pas vieux ! Et ils vous aiment, vous le savez bien. Puis-je vous accompagner dans votre promenade ?

– Non merci, Cléante, je préfère être seul. Je vais prier sur la tombe [2] de ma première femme. Cela fait trois ans que je n'y suis pas allé. Je suis bien coupable.

---

1. Monde : désigne les personnes qui font partie de la bonne société, c'est-à-dire qui approchent le roi, vont au bal, au théâtre, etc.
2. Tombe : monument qui indique la place où se trouve un mort.

– Vous exagérez, Orgon ! Vous allez au cimetière au moins une fois par mois.

– Avant, j'y allais tous les jours.

– Avant votre mariage avec Elmire, c'est cela ? Eh bien, cela veut dire que ma sœur vous a redonné goût à la vie. Et, dans le ciel d'où elle vous regarde, votre première femme est sûrement contente de vous savoir heureux. Savez-vous qu'Elmire oblige les enfants à venir fleurir la tombe de leur mère tous les dimanches ?

– Elmire est bonne, je le sais. Je suis le seul coupable. Dieu va me punir, je vous le dis.

– Laissez les morts enterrer les morts, répondit Cléante. À ce soir, donc ! Je vous quitte puisque vous voulez être seul.

Quand son beau-frère fut parti, Orgon marcha d'un grand pas.

« Dépêchons-nous, pensa-t-il, la pauvre morte doit m'attendre. »

Arrivé devant la tombe d'Éliante, Orgon enleva quelques mauvaises herbes, déposa les fleurs qu'il venait d'acheter à un pauvre à l'entrée du cimetière et ôta son chapeau. Il resta longtemps la tête basse, la perruque [1] agitée par le vent froid.

« Éliante, ma pauvre femme, murmura-t-il, comme tu dois être triste que je t'aie oubliée ainsi. Pardonne-moi, pardonne-moi ! Mais, tu sais, les affaires m'occupent beaucoup... Et les enfants me donnent bien du souci. Damis, surtout. Il est toujours en colère contre n'importe quoi. Il voit de l'injustice partout. Il est prêt à se battre contre le premier venu. Il ne m'écoute plus. Il ne parle que de son ami Valère : "Valère a dit que... Valère, lui, au moins, il a fait ceci ou cela..." Ah, je sais ce que tu penses, ma pauvre Éliante ! Tu penses qu'il res-

---

1. Perruque : faux cheveux que se mettaient les hommes à la mode.

semble à son père, c'est ça? Non, à son âge, j'étais plus... j'étais moins... Ah, tu es bien comme ta fille! Bien polie, bien douce, jamais un mot plus haut que l'autre! Mariane est une gentille fille, c'est vrai. Mais elle est trop sage. Comme toi... Connais-tu la nouvelle? Eh bien, elle veut épouser Valère! Oui, l'ami de son frère. Oh, bien sûr, c'est un brave garçon ce Valère. Mais je me demande si ce n'est pas Damis qui a mis cette idée dans la tête de sa sœur. J'aurais préféré pour elle un homme plus âgé. Cléante, par exemple, le frère d'Elmire. Voilà un homme de bien... Qu'en penses-tu, Éliante? C'est vrai, j'oubliais: tu étais toujours d'accord avec moi. Tu répondais toujours "oui" à ce que je disais. Tandis qu'Elmire, elle... Oh pardon, mon Dieu, pour toutes ces mauvaises pensées! Je dois te quitter, Éliante, je vais être en retard pour les vêpres*.»

Dans la rue, Orgon se mit presque à courir. Une main se posa sur son épaule. Il se retourna. Un homme se tenait devant lui, caché dans un grand manteau. Orgon chercha son épée [1].

– Tu ne me reconnais pas? dit l'homme. Je suis ton vieil ami, Argas.

– C'est toi? Tu m'as fait peur! Pourquoi te caches-tu ainsi? Ça fait bien trois mois que je ne t'ai pas vu.

– Orgon, es-tu encore mon ami?

– Pour toujours, depuis que tu m'as sauvé la vie pendant la Fronde*, quand les nobles* avaient chassé de Paris le jeune roi et son conseiller Mazarin. Tu m'avais convaincu d'aider Sa Majesté. Les nobles m'avaient pris et voulaient me tuer. Tu as réussi à me sauver. Je ne l'oublierai jamais. Que puis-je faire pour t'aider?

---

1. Épée: long couteau d'acier avec lequel les hommes se battaient.

– Orgon, je suis en danger. J'étais un ami du surintendant* Fouquet. Le roi l'a jeté en prison. Fouquet risque la mort. Et moi, je dois partir à l'étranger. Mais je possède des papiers très dangereux. Si on les trouve, ma famille et moi sommes perdus. Peux-tu les garder chez toi le temps que les choses se calment ?

– Pourquoi fais-tu encore de la politique ? Nous n'avons plus l'âge tous les deux, et…

– Je n'ai pas le temps de t'écouter, mon ami. Veux-tu prendre ces papiers ou refuses-tu ?

– Donne-les-moi. Sois prudent ! Quand te reverrai-je ?

– Hélas, mon ami, peut-être jamais. Cache bien ces papiers, car ils sont dangereux pour toi aussi. N'en parle à personne, même pas à la belle Elmire. Adieu, mon ami, adieu !

Et Argas s'en alla en courant vers une voiture qui l'attendait…

À l'église, Orgon pria longtemps. Il croyait prier pour que Dieu sauve son ami Argas des malheurs qui lui arrivaient, mais il priait surtout pour lui-même. Argas parti, Orgon se sentait seul au monde. Il admirait Argas, il aimait l'écouter parler pendant des heures, assis devant la cheminée. Après ces longues conversations, Orgon croyait devenir meilleur.

Maintenant, il n'y avait plus personne pour le conseiller. À la maison, Elmire, Damis et Mariane étaient trop jeunes, toujours à rire, à courir, à aller au bal ou au théâtre. Orgon faisait bien un effort pour les suivre, mais il se sentait un peu ridicule, comme un vieil homme qui cache son âge et cherche encore à plaire. Il avait besoin d'avoir quelqu'un à qui se confier, à qui parler de sa peur de ne plus être aimé un jour par la trop jeune Elmire. Mais aussi de sa peur de vieillir, de sa peur de la colère de

Dieu, de sa peur de l'enfer*. Argas savait lui dire quel était le bon choix. Qui pourra le remplacer, maintenant ? Cléante ? Trop jeune. Sa propre mère ? Non ! Mme Pernelle est une vieille folle.

« Pardon, mon Dieu pour cette mauvaise pensée ! Mais quand même, ma mère est un peu trop... Je vieillis. Argas est parti. Mon Dieu, aidez-moi, ne me laissez pas seul ! »

La messe* était finie depuis quelques minutes. Il ne restait plus dans l'église que quelques vieilles femmes et Orgon. Soudain il entendit un bruit. Il se retourna et vit un homme grand, fort, ayant le visage de quelqu'un en bonne santé, mais dont les vêtements noirs étaient usés et sales. Cet homme, à genoux sur le sol froid, regardait avec un air désespéré la statue du Christ. Il pleurait et disait à voix haute :

– Pitié pour mes péchés*, Seigneur, pitié pour les crimes de tous les hommes.

Puis il se coucha sur le ventre, les bras en avant. Orgon vit alors que les chaussures de l'homme étaient trouées. Ce n'était pas la première fois qu'il le rencontrait à l'église, et il avait souvent admiré sa manière de prier. Il avait voulu parfois lui donner un peu d'argent, mais l'homme avait toujours refusé.

« Et moi qui ne voyais que mes petits ennuis, se dit Orgon. Il y a des gens plus malheureux que moi. Pardon, mon Dieu, de ne penser qu'à moi. »

L'homme se releva et sortit de l'église d'un pas lent. Orgon le suivit. Devant le bénitier [1], l'homme plongea son bras dans l'eau et tendit la main vers Orgon. Orgon toucha la main pleine d'eau, fit le signe de croix* et dit :

---

1. Bénitier : pierre creuse, à l'entrée des églises, où on met de l'eau consacrée par le prêtre.

– Merci, monsieur. Je vous en prie, cette fois, acceptez cet argent. Non, ne refusez pas. Tout à l'heure, je vous ai vu prier et j'ai cru voir un saint*.

– Oh, ne dites pas cela, monseigneur, je suis le plus méchant des criminels, le plus grand pécheur* de la terre.

– Criminel ? Qu'avez-vous fait de mal ?

– Il y a longtemps, j'étais riche, noble, j'étais reçu par le roi, j'allais au théâtre et au bal. Un dimanche de Pâques, à Notre-Dame de Paris, je ne priais pas, je pensais à autre chose, à un cheval ou à une femme. Soudain, une très belle lumière apparut à mes yeux. Une voix me dit... Non, non, je me tais, maintenant. C'est un secret.

– Oh, parlez, monsieur, je vous en prie...

– Non, vous dis-je ! On m'a interdit de raconter cela !

– « On » ? Qui ça, « on » ?

– Ah, tu ne comprends donc pas, pécheur ! Ils ont des yeux et ne voient pas !

– C'est bien, ne dites rien... Mais vous étiez riche et je vous vois dans ces vêtements de pauvre.

– Ce jour-là, j'ai tout abandonné, j'ai donné mon argent aux pauvres, mon château est devenu un hôpital. Mais, malgré cela, jamais Dieu ne me pardonnera les crimes de ma vie passée.

– Mais qu'aviez-vous fait ?

– J'ai fait ce que font tous les hommes. Je n'ai pas obéi à Dieu. Vous aussi, vous êtes un criminel.

– Moi ? Je ne suis sans doute pas aussi bon chrétien que je devrais l'être, mais je suis un honnête homme...

– Vous, un honnête homme ? Êtes-vous allé au théâtre, ces derniers jours ?

– Oui. Pourtant je n'aime pas trop ça. J'y ai vu l'École des femmes de Molière, et je dois dire que

Le comédien Ducroisy, dans le rôle de Tartuffe.

j'ai bien ri. L'histoire de ce vieil homme amoureux d'une jeune fille était très drôle et...

– Vous avez ri, dites-vous, vous avez ri ? Mais savez-vous qu'en se moquant ainsi des hommes, ce Molière se moque de ce qu'a fait Dieu. Donc, il se moque de Dieu lui-même.

– Je ne voyais pas les choses comme ça. Vous avez peut-être raison. Il faut que j'y réfléchisse. Prenez cet argent, monsieur, et priez pour moi.

À la porte de l'église, des mendiants[1] attendaient, assis par terre. La neige commençait à tomber. En voyant sortir Orgon et l'homme en noir, une mère serrant ses deux enfants sous une couverture se mit à rire :

– Voilà Tartuffe qui a encore trouvé un nouvel hôtel et un nouveau restaurant.

– Oui, répondit un vieil homme qui n'avait plus qu'une seule jambe. Le Tartuffe est plus fort que nous.

– Tartuffe ? demanda Orgon à l'homme en noir. Qu'est-ce que c'est que Tartuffe ?

– C'est moi, monsieur. Le plus criminel des hommes s'appelle Tartuffe. Et ces pauvres gens ont raison de rire en me voyant. Regardez ce que je fais de l'argent que vous m'avez donné : je le leur donne, monsieur, je le leur donne ! Car ils le méritent bien plus que moi.

Et, avec un grand geste, Tartuffe jeta tout l'argent aux mendiants qui commencèrent à se battre pour essayer de ramasser une pièce.

– Vous êtes un saint, monsieur, un saint, dit Orgon en se jetant à genoux devant lui. J'étais perdu, seul, malheureux. Et Dieu vous a envoyé à moi pour me sauver.

---

1. Mendiants : pauvres qui gagnent leur pain en demandant un peu d'argent dans la rue ou à la porte des églises (mendier).

Tartuffe releva Orgon et dit d'une voix douce :

– Non, je ne suis pas un saint, mais un pauvre pécheur, comme vous. Laissez-moi devenir votre ami, votre frère.

– Mon ami, mon frère ! Oui, je le veux de tout mon cœur.

Les cloches* de l'église se mirent à sonner.

– Dans deux jours, nous fêterons Noël, dit Tartuffe comme s'il se parlait à lui-même.

– C'est vrai, je l'avais oublié. Où passerez-vous les fêtes, mon frère ?

– En prison, mon frère. Avec les malheureux enfermés là-bas pour des crimes moins grands que les miens.

– Non, non, supplia Orgon avec des yeux de fou. Vous viendrez chez moi, nous fêterons ensemble la naissance du Christ. Vous êtes mon frère, n'est-ce pas ? Eh bien, un frère doit passer les fêtes dans sa famille. D'ailleurs, vous venez habiter à la maison dès ce soir.

– Puisqu'il le faut, je viens, mon frère. Je vous aiderai à retrouver le chemin de Dieu.

Puis Tartuffe se retourna et appela, l'air très en colère :

– Laurent, où es-tu encore caché, idiot ?

– Qui est ce Laurent ?

– Mon serviteur*. Heu... non, un pauvre enfant perdu qui m'aide dans mes actions de charité*.

– Alors, qu'il vienne lui aussi, dit Orgon. Puis il se tourna vers les mendiants et cria : « Vous aussi, mes amis, venez chez moi, venez tous fêter Noël ! »

Les mendiants se levèrent en criant de joie, mais Tartuffe les menaça :

– Couchés, bande de chiens, ou attention à vous !

Les mendiants reprirent leur place.

– N'exagérez pas, mon frère, dit Tartuffe à Orgon de sa voix redevenue très douce. Vous risquez de fâcher Dieu. Car ce serait de l'orgueil[1] de vouloir aider tous les pauvres du monde. Seul le Christ peut faire cela.

– Ah, mon frère, comme vous avez raison ! Pardon ! Vous avez encore tant de choses à m'apprendre !

Et tandis que les deux hommes s'en allaient, suivis par Laurent, le serviteur de Tartuffe, le vieux mendiant à la jambe coupée se mit à rire :

– Ah, Tartuffe est vraiment le plus fort !

– Peut-être, dit la mère des deux petits enfants. Mais on saura la vérité un jour, et les méchants seront punis.

– Pas Tartuffe. Personne ne peut rien contre le roi des hypocrites*.

Tartuffe en famille

Assise dans un fauteuil de son petit salon, Elmire, la femme d'Orgon, écoutait son frère Cléante lui raconter son long voyage. Dorine, la servante*, entra sans frapper à la porte, comme d'habitude.

– Votre chocolat, Madame. Je ne comprends pas comment vous pouvez boire quelque chose d'une couleur aussi laide ! Voilà bien une boisson de sauvages. Parlez-moi plutôt d'un bon verre de vin de Champagne.

– Tu n'as donc pas bu toutes les bouteilles qu'il y avait à la cave, ma bonne Dorine ? dit Cléante en riant.

– Monsieur Cléante, vous venez à peine d'arriver d'un long voyage et voilà que vous commencez à dire que j'ai tous les défauts. Apprenez que je ne

---

1. Orgueil : opinion exagérée que l'on a de ses propres qualités. L'orgueil est un péché.

bois que très peu de vin. Cela risquerait de donner un mauvais goût au lait avec lequel, dans quelques années, je nourrirai l'enfant de Mademoiselle Mariane quand elle sera mariée avec Monsieur Valère. Le même lait, je vous le rappelle, qui a nourri Damis et Mariane elle-même.

– Allons, mon frère, dit Elmire, tu ne vas pas te fâcher avec la meilleure des servantes. Sans elle, la maison serait bien difficile à diriger.

– Je le sais, bien sûr ! Mais c'est une vieille plaisanterie entre Dorine et moi.

– Je suis bien contente de vous revoir, répondit Dorine. Depuis votre départ, je n'avais plus personne avec qui me disputer. Mariane est trop sage, Damis n'est jamais là, Madame Elmire est toujours trop bonne avec moi. Et la mère de Monsieur Orgon, Madame Pernelle, si je lui disais un mot, elle me casserait sa canne sur la tête. Sans vous, je m'ennuyais.

– Pourtant, répondit Cléante, je me souviens de quelques grandes disputes que tu avais avec M. Orgon.

– Hélas, je ne sais pas ce qu'a Monsieur Orgon en ce moment. Plus de cris, plus de grandes colères...

– Ne parle pas comme ça de ton maître, dit Elmire. Laisse-nous maintenant.

– Excusez-moi, Madame, j'avais oublié. Damis est en bas avec son ami Valère. Il aimerait que vous le receviez. Ils veulent peut-être vous parler de mariage...

– Fais-les monter... Et n'écoute pas trop à la porte.

– Oh ! Madame me connaît mal !

En faisant semblant d'être très en colère, Dorine sortit. Elmire but un peu de son chocolat et dit :

– Dorine a raison. Je suis inquiète pour Orgon. Depuis quelques mois, il n'est plus le même. Il ne veut plus aller au bal ou au théâtre. Il ne vient plus à mes réunions littéraires. Il préfère rester seul dans son bureau. Et quand il me parle, on dirait qu'il parle à une enfant. Mais moi, je crois bien que c'est lui, l'enfant.

– En effet, je l'ai vu tout à l'heure. Il m'a paru bizarre. Veux-tu que je lui parle ?

– Oui, je crois que toi, il t'écoutera.

Deux jeunes gens entrèrent dans le salon, vêtus à la dernière mode : Damis, le fils d'Orgon, et Valère, son ami.

– Ma mère, dit Damis, permettez-moi de vous présenter Valère.

– Mais, Damis, je le connais ! Il est venu bien souvent.

– Oui, mais, cette fois, il a quelque chose à vous demander.

– À moi ? En quoi puis-je vous être utile, monsieur ?

– Madame, répondit Valère, c'est Damis qui m'a obligé à venir. Pourtant, je ne crois pas que c'est ainsi que les choses doivent se faire...

Avec de grands gestes, Damis coupa la parole à Valère :

– Arrêtons les politesses ! Valère vient vous demander l'autorisation d'épouser Mariane.

– Ce n'est pas à moi qu'il doit la demander, dit Elmire étonnée, mais à votre père...

– C'est bien ce que je lui ai dit, madame, répondit Valère. Mais il n'a pas voulu m'écouter. Je ferai donc ma demande à M. Orgon...

– Ma mère, interrompit encore Damis, vous connaissez mon père. Si l'idée vient de moi, il va dire non, comme toujours. Et il obligera Mariane à épouser un vieux comme lui.

– Vous dites encore des bêtises, Damis, dit Cléante. En plus, ce n'est pas très gentil pour ma sœur ! Selon vous, on aurait forcé Elmire à se marier à un vieil homme ? Sachez qu'Elmire et Orgon forment un couple très heureux. D'ailleurs, je connais Orgon. Il ne fait pas partie de ces pères qui obligent leur fille à épouser l'homme qu'ils ont choisi pour elle.

– C'est vrai, dit Elmire. Damis, vous êtes injuste avec votre père. Il vous aime et fait tout pour vous. D'ailleurs, il m'a déjà dit qu'il n'était pas contre ce mariage. M. Valère lui fera sa demande tout à l'heure, mais seul, dans son bureau, comme les choses doivent se faire. Maintenant, monsieur Valère, vous resterez dîner avec nous, n'est-ce pas ?

À ce moment, Dorine entra, portant de nouvelles tasses de chocolat et suivie de Mariane :

– Il faudrait aussi demander l'opinion de la jeune fille, dit la servante. C'est elle qui va se marier, non ? Elle trouve peut-être Monsieur Valère trop laid, trop ennuyeux, et que ses oreilles sont trop grandes...

– Dorine ! Voyons ! Vous allez trop loin, dit Cléante. Mais vous avez un peu raison. Que pensez-vous de Valère, Mariane ?

Mariane ne répondit pas, mais baissa les yeux et rougit.

– Eh, ma sœur, dit Damis, tu nous avais pourtant dit tout à l'heure que...

– Damis, dit Elmire en souriant, vous ne connaissez rien aux femmes. Mariane a déjà répondu. N'est-ce pas Mariane ?

Mariane rougit encore plus.

– Je vous traduis donc, dit Cléante en riant. Cette rougeur, ces yeux baissés veulent dire «mille fois oui». Prenez donc le bras de votre future épouse, monsieur Valère, et allons attendre Orgon au grand salon du bas. Il devrait arriver, maintenant.

Dans le grand salon, Mme Pernelle, la mère d'Orgon, les attendait en faisant des travaux de couture. C'était une vieille femme qui parlait très fort, donnait des gifles à sa servante Flipote pour un oui ou pour un non. Quand sa famille entra, Mme Pernelle prit un air très en colère, mais personne ne fit attention à elle. On parla longtemps de tout ce qui se passait à Paris.

Valère se sentait bien au milieu de ces gens. Ses parents étaient morts et il vivait seul avec sa sœur. Il espérait qu'un jour elle épouserait son ami Damis. En attendant, Valère était heureux : il aimait Mariane et Mariane l'aimait. Les deux ou trois fois où il avait rencontré Orgon, celui-ci avait toujours été agréable avec lui. Elmire était une femme charmante. Valère admirait beaucoup Cléante. Damis, lui, ressemblait un peu à un jeune chien, mais il était gentil et courageux. Les voisins disaient que cette famille était un peu folle et ne faisait rien comme tout le monde. Tant mieux ! Valère préférait cela à des gens ennuyeux. Et Mariane... Ah ! Mariane...

– Orgon est en retard, dit soudain Mme Pernelle. Du temps de sa pauvre femme Éliante, il était toujours à la maison à l'heure des repas.

– Laissez donc ma mère en paix, grand-maman, dit Damis en colère. Et arrêtez de toujours la comparer à Elmire ! Ça ne se fait pas. Pour moi, Elmire est plus qu'une mère, c'est aussi une amie. Pour une fois, soyez gentille avec elle. C'est bientôt Noël.

– Laissez, Damis, répondit Elmire. Ça ne vous regarde pas. D'ailleurs, Mme Pernelle a raison. Je commence à être inquiète. Que fait Orgon ? Peut-être a-t-il eu un accident ? Dorine, va voir ce qui se passe.

Dorine sortit et revint cinq minutes plus tard.

– Monsieur est devant la porte, dit-elle en riant.

Il est accompagné d'un drôle de pauvre en vêtement noir. Mais le pauvre ne veut pas entrer. Monsieur essaie de le pousser. Ils se font des tas de politesses. Quel spectacle ! J'avais l'impression d'être au théâtre des Italiens. J'en pleure de rire !

– Un pauvre ? demanda Elmire.

– Oui, je l'ai déjà vu à l'église. C'est une sorte de mendiant déguisé en curé et toujours suivi d'un garçon avec une tête de voyou [1].

– C'est bientôt Noël, dit Mme Pernelle. Il est normal d'inviter un pauvre à sa table. Quand Éliante vivait encore...

– Grand-maman, ça suffit ! cria Damis.

– Votre grand-mère a raison, Damis, dit Elmire avec douceur. Dorine, mettez une assiette de plus et allez préparer quelque chose à la cuisine pour le garçon qui accompagne ce pauvre homme.

Enfin, Orgon entra, suivi de loin par Tartuffe, qui baissait la tête et tenait son chapeau contre son ventre. Elmire avança vers son mari en souriant pour lui donner un baiser. Mais Orgon l'arrêta d'un geste.

– Mamie [2], saluez d'abord cet homme que j'invite à dîner avec nous. Il s'appelle Tartuffe. C'est un saint. Il m'a expliqué bien des choses. Maintenant, ma pensée est claire. Tartuffe est devenu mon frère. Il est donc le vôtre. Il habitera dans notre maison et nous montrera le chemin à suivre pour vivre selon les ordres de Dieu. Aimez Tartuffe, mamie, comme vous m'aimez.

– Soyez le bienvenu, monsieur, dit Elmire à Tartuffe en lui tendant la main.

Pour la saluer, Tartuffe se pencha très bas, remua son chapeau, lui prit la main, la toucha à peine de ses lèvres et dit :

---

1. Voyou : mauvais garçon.
2. Mamie : abréviation tendre de « mon amie ».

– Votre beauté, madame, est comme un grand soleil. En m'en approchant trop, je pourrais m'y brûler. Je ne veux pas mourir comme Icare, ce Grec qui, dit-on, s'envola un jour comme un oiseau.

Dorine se pencha à l'oreille de Cléante et lui dit à voix basse :

– Oh, oh, on dirait que le nouveau frère de Monsieur Orgon est non seulement un saint, mais aussi un poète. Un poète précieux*, en plus !

– J'ai peur qu'il ne soit pas aussi amusant que cela, répondit Cléante. Dorine, tu es la seule personne à peu près sage dans cette maison. Faisons attention. Cet homme-là m'inquiète.

Cependant, Tartuffe s'était tu. Il se cacha à nouveau derrière Orgon. Tous entrèrent dans la salle où l'on avait apporté le repas. Ils se mirent debout derrière leur chaise pour dire le bénédicité [1], puis ils s'assirent. Seul Tartuffe resta debout quelques instants de plus, la tête penchée, les yeux fermés, les lèvres remuant encore. En le voyant, Orgon se releva brusquement et l'imita. Enfin, Tartuffe s'assit. Orgon fit comme lui.

Durant tout le repas, Tartuffe mangea très peu et ne but que de l'eau. Orgon insistait, remplissait son assiette, mais l'autre refusait tout.

– Vous trouvez que notre cuisine est mauvaise ? demanda Elmire. Vous risquez de finir comme Tantale, cet autre Grec qui, lui, mourut de faim.

– Oh, madame, ce n'est pas cela. Mais je pensais à tous ces pauvres gens qui n'ont rien à manger, dehors.

– Tartuffe a raison, dit Orgon. Il m'a une nouvelle fois ouvert les yeux. Nous vivons mal, dans ma maison. Trop de jolis vêtements, trop de fêtes, trop de nourriture...

---

1. Bénédicité : prière que l'on disait avant chaque repas.

– Tu as raison, mon fils, dit Mme Pernelle.

– ... Trop de gens qui viennent nous rendre visite. Pas assez de prières, pas assez de religion.

– Tu as raison, mon fils !

– Est-ce que vous avez besoin de tous ces bijoux, mamie, et toi, Mariane, de toutes ces robes ? Damis, tu ne peux pas aller à pied au lieu de te montrer sur tes chevaux anglais ou arabes devant les filles de mauvaise vie ?

– Ce ne sont pas des filles, mon père, mais des demoiselles de bonne famille.

– Tu as raison, mon fils, répéta Mme Pernelle qui n'entendait plus très bien.

– Et vous, ma mère, qui vous remplissez de gâteaux toute la journée, croyez-vous que ce n'est pas un péché ?

– Tu as *raijon,* mon *fiche,* répéta encore Mme Pernelle qui avait un énorme morceau de pâtisserie dans la bouche.

– Dès demain, cette maison deviendra un exemple pour toute la ville. Plus de théâtre, plus de bal, plus de beaux vêtements, plus de ces trop nombreux poètes qui viennent dans votre salon, mamie, pour réciter leurs bêtises. Dorine ! Où est-elle encore ? Dorine ! Il n'y a donc plus de vin ? Tu veux donc me faire mourir de soif ?

Pendant tout ce discours, les autres n'avaient rien dit. Elmire souriait à son mari, avec l'air de penser à autre chose, Mariane et Valère se regardaient tendrement de chaque côté de la table, Damis jouait avec son couteau en poussant parfois de grands soupirs comme un professeur qui écoute un mauvais élève réciter sa leçon. Mme Pernelle mangeait. Cléante, lui, observait Tartuffe qui, les yeux baissés sur son assiette, priait.

– Voilà le café, mon fils ! dit Dorine en imitant Mme Pernelle.

Armande Béjart, femme de Molière, dans le rôle d'Elmire.

Tout le monde se mit à rire, sauf Mme Pernelle qui n'avait pas entendu et Tartuffe qui priait toujours. Orgon, lui, était gêné. Il avait l'impression de sortir d'un rêve. Elmire s'approcha de lui, accompagnée par Valère :

– M. Valère aimerait vous parler.

– Ah oui, bien sûr. Venez dans mon bureau, jeune homme. Tartuffe, mon frère, venez avec nous.

Personne n'eut le temps de protester. Les trois hommes étaient déjà partis. Un quart d'heure après, Valère revint seul.

– Eh bien, mon ami, lui demanda Mariane, que s'est-il passé ?

– Rien, rien...

– Mais parlez !

– Heu... ce monsieur Tartuffe... votre père le connaît-il depuis longtemps ?

– Depuis aujourd'hui seulement.

– Quand j'ai demandé à M. Orgon de vous épouser, je croyais qu'il allait dire «oui» tout de suite, puisqu'il savait cela depuis longtemps. Il a d'abord demandé son avis à ce Tartuffe. L'autre a alors tenu un long discours plein de «peut-être» auquel je n'ai rien compris. Alors, votre père m'a dit qu'il réfléchirait encore. Il paraît que ce Tartuffe veut d'abord savoir si mes parents, mes grands-parents et mes arrière-grands-parents étaient des gens comme il faut. C'est-à-dire s'ils n'étaient pas acteurs, écrivains, musiciens, protestants, juifs, anglais, musulmans et je ne sais quoi encore. Tartuffe a dit qu'il se ferait aider par tous ses «frères» pour connaître la vérité sur moi et ma famille. Qui sont donc ses frères ?

– Hélas, je crois comprendre ! dit Cléante. Tartuffe fait partie de la Compagnie du Saint-Sacrement. C'est une société secrète* religieuse très puissante. Il y a des gens importants à leur tête, comme le président Lamoignon ou le prince de Conti. Ils s'appellent tous « frères ». Ils veulent prendre le pouvoir en France car ils trouvent que notre pays est dirigé par le diable*. Et le diable, pour eux, ce sont tous les plaisirs de la vie, les spectacles, les livres, la musique. Ils rêvent de brûler tous ceux qui ne pensent pas comme eux, d'habiller toutes les femmes en noir et de leur interdire de sortir de la maison. Pour eux, la liberté, c'est le plus grand mal de l'homme. Heureusement, notre jeune roi aime trop la vie et leur résiste. Mais il peut encore se passer bien des choses dans notre beau pays... Ce qui m'inquiète le plus, pour le moment, c'est ce Tartuffe. La Compagnie du Saint-Sacrement s'occupe beaucoup des prisons et des prisonniers. Il paraît que c'est pour les aider à retrouver une vie normale quand ils redeviendront libres. Cette idée est très belle, tout le monde doit être d'accord. Mais la réalité est bien moins jolie. Car, une fois que la Compagnie les a fait sortir, ces prisonniers, souvent des voleurs, sont envoyés dans les familles honnêtes comme la nôtre pour les surveiller, leur prendre de l'argent et enfin les faire entrer dans la Compagnie. J'ai bien peur que ce Tartuffe fasse partie de ces gens-là.

– Vous n'avez pas le droit de dire des choses pareilles, dit Mme Pernelle. J'ai compris, moi, en voyant son regard si doux, que cet homme-là était un saint. M. Tartuffe est un dévot*. S'il peut remettre un peu d'ordre dans cette maison, ça ne sera pas un mal. Je trouve, monsieur Cléante, que vous vous conduisez ici comme un maître, alors que vous n'êtes qu'un invité et que vous donnez le mauvais exemple à Damis et à Mariane. Bon, je vais dormir. Dépêche-toi, Flipote, ou veux-tu encore une gifle ?

Dans les deux mois qui suivirent, on aurait pu croire que Cléante s'était trompé. Personne n'avait rien à dire contre Tartuffe. Il vivait maintenant dans la maison, dormait avec son serviteur Laurent dans une petite chambre sous le toit, partait tôt le matin en disant très fort pour que tout le monde l'entende : « Je vais à l'église demander de l'argent pour le donner aux prisonniers. » Il revenait vers midi, mangeait un morceau de pain à la cuisine et, l'après-midi, s'enfermait avec Orgon dans son bureau. Le soir, il dînait avec la famille Pernelle, mais restait silencieux pendant tout le repas. Il avait fini par accepter qu'Orgon lui offre des vêtements neufs, noirs bien sûr, mais faits dans les plus beaux tissus. Dorine disait qu'elle l'avait souvent vu, la nuit, venir voler à la cuisine du pâté, du jambon et les meilleurs vins, mais Cléante trouvait cela plutôt amusant. Il avait essayé d'avoir avec lui des conversations sérieuses, mais Tartuffe réussissait toujours à trouver quelque chose de plus important à faire.

Et Cléante finit par penser comme les autres que Tartuffe était simplement le nouveau secrétaire d'Orgon. Ils n'y firent plus attention et la vie continua comme avant.

Orgon, lui, avait changé. Il allait tous les matins à l'église et s'occupait de moins en moins de ses affaires : des propriétés agricoles et une usine à Lyon. Avant, il donnait toujours assez d'argent à ses enfants pour leurs loisirs. Maintenant il refusait le plus souvent. Damis disait que c'était de la faute de Tartuffe. En effet, chaque fois qu'il fallait prendre une décision, Orgon en parlait d'abord, dans son bureau, à son « frère ». Quand il en ressortait, il annonçait : « Tartuffe a dit que... » Et ni Damis ni Mariane n'avaient ce qu'ils voulaient. Avec Elmire, Tartuffe était très aimable, cherchant toujours à lui faire plaisir, sauf quand elle demandait à son mari d'aller au bal ou au théâtre. Tartuffe conseillait alors à Orgon de refuser. Orgon essayait bien de le faire, mais Elmire savait se défendre :

– Non, mamie, vous ne sortirez pas ce soir, car moi je ne veux pas sortir. Et Tartuffe dit qu'une femme comme il faut [1] ne sort jamais sans son mari.

– Seriez-vous jaloux, Orgon ?

– Non, mamie, vous le savez bien, répondait Orgon, plus calme. Vous êtes la meilleure et la plus fidèle des épouses. Mais Tartuffe a dit...

– Eh bien, moi, mon ami, je suis jalouse. Oui, jalouse de Tartuffe. Monsieur, vous me volez mon mari, disait-elle alors à Tartuffe.

Tartuffe se penchait jusqu'à terre et, avec des yeux tout ronds, refaisait le poète :

– Hélas, madame, quand vous partez de cette maison, même pour une heure, on dirait que ses murs vont tomber, que la mort va y frapper, que...

– Eh bien, monsieur, si je vous manque à ce point, accompagnez-moi donc au bal. Mais avec d'autres vêtements, je vous prie. On se moquerait de nous.

– Mais, madame, vous savez bien que cela m'est interdit...

– Tant pis pour vous. Au revoir, monsieur. Vous venez, Orgon ? Vous pourrez me surveiller pour voir si je ne danse pas trop avec un joli jeune homme. Non, vous ne voulez pas ? Mon pauvre ami, vous n'êtes même plus jaloux. Ah, vous ne m'aimez plus...

---

1. Comme il faut : de bonne éducation.

Et Elmire s'en allait, malheureuse. Comment faire, pensait-elle, pour qu'Orgon redevienne comme avant?

*T*artuffe maître dans la maison

Peu à peu, avec prudence, Tartuffe commença à s'occuper des affaires de la maison. Bien sûr, c'était surtout Orgon et Mme Pernelle qui disaient le plus de mal de la manière de vivre des autres : ils sortaient trop le soir, ils recevaient trop de gens, ils se faisaient trop remarquer par les voisins, ils dépensaient trop d'argent en choses inutiles, etc. Tartuffe, lui, expliquait que cette conduite ne plaisait pas à Dieu et à l'Église. Alors, Cléante essayait d'en parler sérieusement avec lui, Damis se mettait en colère, Dorine lançait une plaisanterie, Mme Pernelle criait et Orgon, prenant Tartuffe par le bras, l'emmenait dans son bureau. Chacun faisait alors ce qu'il voulait.

Un jour de la fin du mois de février 1664, Orgon se fâcha avec Mariane, qui lui avait demandé de décider enfin la date de son mariage avec Valère. Quand ils furent seuls, il demanda à Tartuffe :

– Que faire, mon frère, que faire ?

– Allons, mon frère, ce n'est pas si grave. Mariane veut toujours épouser son Valère, mais elle se calmera, elle l'oubliera. Elle est jeune. Il faut être patient avec elle. Vous voyez bien que les choses vont mieux depuis que votre beau-frère Cléante est reparti. Ce sont ces deux étrangers qui avaient fait entrer le mal dans cette maison. Ils sont tous plus sages, maintenant, comme je vous l'avais promis.

– Ce n'est pas de cela, mon frère, dont je voulais vous parler. Je dois bientôt partir visiter mes propriétés à la campagne, avant le printemps, comme je le fais chaque année. Je serai absent toute une semaine. Il peut se passer bien des choses pendant ce temps...

– Partez tranquille, mon frère. Si vous me le permettez, je resterai ici à garder votre famille, comme si c'était mes propres enfants. Ce sera même une très bonne chose. Ils verront ainsi que je peux leur être utile. Et peut-être enfin, ils apprendront à m'aimer un peu...

– Comment ? Ils ne vous aiment pas ?

– Je n'ai pas dit cela, mais...

– Ils vous détestent ?

– Non, non...

– Ils vous ont fait du mal ?

– Au contraire, jamais je n'ai vu de gens aussi aimables avec moi...

– Ah, mais je vais leur apprendre, moi, à vous aimer, à vous respecter et à vous obéir... plus que moi-même. Car, plus que moi, mon frère, vous avez droit à leur amour, à leur respect et à leur obéissance. Je vais leur apprendre, oui, par la force s'il le faut, qui est le maître, à la fin, dans cette maison.

Plus Orgon se mettait en colère, plus Tartuffe devenait doux :

– Ne vous fâchez pas, mon frère, calmez-vous. Tout se passera bien pendant votre absence. Mais je vois dans vos yeux qu'il y a quelque chose d'autre que vous voulez me dire avant de partir. Dites-le-moi, cela vous fera du bien.

Orgon se jeta dans les bras de Tartuffe et se mit à pleurer :

– Oh, ah, eh ! Mon ami, mon frère, comme vous savez bien lire dans mon cœur. Oui, je porte en moi un lourd secret. Trop lourd pour l'homme faible et méchant que je suis. Un secret confié par un ami malheureux. Un secret qui peut mettre ma famille en danger. Et j'ai promis devant Dieu de ne jamais le répéter.

– Alors, ne me dites rien, taisez-vous surtout !

– Non, je vais vous le dire.

– Je vous l'interdis.

Mais plus Tartuffe faisait semblant de ne pas vouloir connaître ce secret, plus Orgon avait envie de le lui dire. Et pendant que Tartuffe le retenait par son vêtement, Orgon se dirigea vers une armoire. Il sortit les papiers que son ami Argas lui avait donnés, deux mois avant, et les mit de force entre les mains de Tartuffe :

– Lisez, mon frère !

– Jamais !

– Lisez, vous dis-je !

– Ce serait mal !

– C'est un ordre ! Je vous laisse dans mon bureau une heure avec ces papiers. Lisez-les et dites-moi si j'ai bien fait de les garder. Je voulais sauver un ami. Mais j'ai peut-être fait du mal au roi de France. Lisez !

Alors Tartuffe tomba à genoux et, les yeux levés vers le plafond, se mit à prier. Orgon le regarda en pleurant et sortit du bureau, silencieux. Dès qu'il fut seul, Tartuffe courut à la table, s'assit, lut et relut le dossier. Enfin, il releva la tête, eut un grand sourire, se frotta les mains et dit tout bas :

– Enfin, ça y est. Je le tiens, cet idiot. Sa maison, son argent et sa fille seront bientôt à moi... et sa femme aussi, si je joue bien. Ah ! la Compagnie paiera cher pour ces papiers. Tartuffe, mon petit, je te félicite. Mais attention ! Encore un peu de patience. Ce n'est pas le moment de faire des bêtises.

Quand Orgon rentra dans le bureau, il retrouva Tartuffe à la place où il l'avait laissé.

– Vous avez lu ? demanda-t-il.

– Hein ? Que dites-vous ? Je ne vous ai pas entendu rentrer, car Dieu me parlait. Si j'ai lu ? Non, cela, jamais ! Mais Dieu m'a dit ce qu'il fallait faire. Je garde ces papiers avec moi. Ils ne me quitteront jamais. Ainsi, vous ne risquez plus rien.

– Ah, mon frère, dans mes bras !

– Ah, mon frère, comme il est doux de vous aider !

Les jours qui suivirent, les manières de Tartuffe changèrent. À table, il mangeait maintenant avec grand appétit et buvait du vin comme tout le monde... et même un peu plus que tout le monde. Il reprochait à Dorine d'avoir des vêtements trop légers, à Damis de se lever de table sans que son père le lui permette, à Mariane de ne pas être allée à l'église. Et il reprenait du pâté pour la troisième fois.

Un soir, Damis protesta, mais Orgon lui ordonna d'aller dans sa chambre.

En ce temps-là, la loi faisait du père le vrai roi de la famille, et tous, surtout les femmes, devaient lui obéir. Jusqu'à présent, chez les Pernelle, Orgon était un maître plutôt doux, et il y avait dans sa famille une grande liberté. Mais Tartuffe, maintenant qu'il avait avec lui les papiers secrets d'Argas, avait rappelé à Orgon ce que lui permettait la loi.

Damis comprit qu'il ne fallait plus discuter et partit dans sa chambre. Orgon le rappela :

– Un instant, mon fils, j'ai d'abord à vous parler. Les choses vont changer dans cette maison... Taisez-vous, ma mère, taisez-vous, c'est un ordre ! Oui, les choses vont changer. J'ai été trop faible avec vous, je vous ai laissé trop de liberté. Et levez-vous, d'abord, quand je vous parle. Ah, Elmire, ma femme, je vous interdis de prendre ce sourire plein de pitié ! Et toi, Mariane, ma fille, regarde-moi donc un peu quand je te parle. Taisez-vous, ma mère, vous dis-je ! Dorine, si tu continues, tu auras une paire de gifles. Bien, je vois que tu as compris. Comme vous le savez, je dois partir demain pour une semaine. L'année dernière, j'avais confié ma famille et ma maison à Argas. Hélas, il est parti. C'est donc Tartuffe, mon ami, mon frère, qui sera pour vous comme un père pendant mon absence. Je veux que vous obéissiez à tout ce qu'il vous demandera de faire. J'ai fini. Tartuffe, suivez-moi dans mon bureau, j'ai encore à vous parler.

Quand Orgon fut parti à la campagne, Tartuffe devint vraiment le maître de la maison. Oh, bien sûr, il restait prudent, ne disait pas « je veux » ou « il faut que ». Ainsi, le lendemain du départ d'Orgon, il dit à Elmire :

– Ne croyez-vous pas, madame, que toutes ces robes que vous achetez ne sont pas faites pour une femme mariée, mais plutôt pour une jeune fille ?

– C'est vrai, cria Mme Pernelle, à qui cherchez-vous à plaire ? Il n'y a qu'une personne à qui vous devez plaire, c'est à mon fils, à Orgon !

Elmire préféra ne pas répondre ; elle sourit simplement.

Mais ce n'était pas à elle que Tartuffe faisait le plus de reproches. Au contraire, avec Elmire, il était très aimable et très gentil. Il lui demandait toujours des nouvelles de sa santé et la félicitait souvent pour sa beauté et son intelligence.

Avec Mariane et Damis, au contraire, il était beaucoup plus dur. Il voulait maintenant leur donner des leçons de religion. Il les obligeait à prier une heure tous les matins. Les deux jeunes gens ne pouvaient pas protester : en ce temps-là, ceux qui avaient l'air de ne pas obéir à la religion pouvaient avoir de graves ennuis avec la police.

Elmire essayait de calmer les deux enfants de son mari. Elle leur disait d'attendre le retour de

Cléante, qui saurait bien comment faire pour les débarrasser de ce personnage.

Trois jours avant le retour d'Orgon, Elmire, comme tous les premiers mardis de chaque mois, réunit dans son salon quelques amis, poètes et musiciens. On y parlait de littérature, de musique, mais aussi des dernières nouvelles de Versailles, on y lisait de jolies lettres que d'autres amis avaient envoyées.

Ce matin-là Tartuffe était parti «voir ses prisonniers». Il revint dans l'après-midi, toujours suivi de Laurent, et eut beaucoup de mal à entrer dans la maison tellement il y avait de voitures devant la porte. En arrivant dans le salon, il prit un air sévère. Elmire lui fit un beau sourire et dit en se moquant un peu de lui :

– Ah, je suis contente de vous voir, monsieur Tartuffe. Vous qui êtes si savant, vous allez peut-être nous aider. M. de Sainte-Colombe, que voici, qui est musicien, dit que l'artiste doit d'abord exprimer ce qu'il a au fond de son cœur, même si les gens ne comprennent pas. M. Molière, que voilà, dit au contraire que l'important est de plaire. Qu'en pensez-vous, vous qui avez une opinion sur tout ?

– Je pense, madame, qu'il ne faut plaire qu'à Dieu et à l'Église. Je pense aussi que toutes ces paroles sont des péchés. Je pense encore que ces gens sont des libertins* qui essaient de vous voler à votre mari en vous parlant d'amour. Si j'étais le maître ici, je les chasserais de cette maison...

Jamais Tartuffe n'avait montré une telle colère. Gênés, les invités partirent tous ensemble, sous l'œil terrible de Tartuffe qui les regardait comme Dieu chassant Adam et Ève du paradis.

– M. Orgon a choisi un homme bien bizarre pour lui servir de... de quoi ? de secrétaire ? d'ami ? de conseiller religieux ? dit Sainte-Colombe à Molière quand ils se retrouvèrent dans la rue. Il nous a joué une drôle de musique !

– Je pense, répondit Molière, que cet homme-là est plus jaloux que dévot. Avez-vous vu comment il regardait la belle Elmire ?

Après cette scène, Elmire tomba malade. Elle resta dans sa chambre deux jours. Elle n'en redescendit que le dimanche soir. Orgon devait rentrer le lendemain. Cléante était là. Mais le dîner fut triste et silencieux. Seule Mme Pernelle parlait pour dire, comme toujours, que chacun dans cette maison se tenait mal. Ce n'était pas comme au temps de la première femme d'Orgon ! Il fallait maintenant, disait-elle, prendre exemple sur Tartuffe.

Tartuffe, lui, ne parlait pas, mais mangeait et buvait beaucoup plus que tous les autres réunis.

Après le dîner, Damis emmena Cléante dans le jardin :

– Il faut que je vous parle seul à seul, mon oncle. J'ai besoin que vous nous rendiez un grand service. Demain, quand mon père reviendra, parlez-lui du mariage de Mariane et de Valère. Il avait promis de dire oui. J'ai très peur que Tartuffe soit contre ce projet. Parlez-lui le premier avant que Tartuffe le rencontre.

– J'essaierai. J'espère que cette semaine à la campagne aura un peu diminué la trop grande amitié qu'Orgon montre à cet homme-là. Mais vous, Damis, restez calme. Demain, je le crois, sera une journée bien difficile pour votre famille...

Le lendemain matin, quand Orgon arriva, il n'y avait pour l'attendre à la porte que Cléante et Dorine.

– Bonjour, Orgon, dit Cléante en serrant la main de son beau-frère. Je suis content que vous soyez de retour. La campagne ne doit pas être bien fleurie en ce moment.

– Bonjour, bonjour, répondit Orgon avec un air inquiet. Vous permettez, il faut d'abord que je parle à Dorine. Dorine, viens ici, s'il te plaît, et donne-moi des nouvelles de la maison. Qu'est-ce qu'on a fait pendant toute cette semaine ? Est-ce que tout le monde va bien ?

– Madame a été malade, répondit Dorine. Elle avait très mal à la tête.

– Et Tartuffe ? demanda Orgon.

– Tartuffe ? Il est en très bonne santé. Bien gros, bien fort, la bouche bien rouge...

– Le pauvre homme !

– Madame n'a rien pu manger tellement elle était malade.

– Et Tartuffe ?

– Lui ? Ce soir-là, il a repris trois fois du pâté, quatre fois de la viande et cinq fois du dessert, tout ça en remerciant Dieu.

– Le pauvre homme !

– Madame a eu la fièvre toute la nuit. Elle n'a pas pu dormir une minute. Je suis restée près d'elle jusqu'au matin. J'avais peur que sa maladie soit très grave.

– Et Tartuffe ?

– Lui ? Aussitôt après le repas, il est monté dans sa chambre. Sa prière a dû être très courte car je l'ai entendu ronfler [1] tout de suite. Il a dormi près de neuf heures. Le soleil était déjà levé depuis longtemps qu'il ronflait encore.

– Le pauvre homme !

– Le matin, on a appelé le docteur. Il a fait une saignée* à Madame. Elle s'est sentie tout de suite beaucoup mieux.

– Et Tartuffe ?

– Lui ? Au petit déjeuner, il a pris quatre grands

---

1. Ronfler : dormir en faisant beaucoup de bruit.

– Tartuffe ? Il est en très bonne santé. Bien gros, bien fort, la bouche bien rouge...
– Le pauvre homme !

verres de vin rouge. C'était peut-être en pensant à tout le sang que Madame avait perdu.

– Le pauvre homme !

– Maintenant, tous les deux se portent bien. Je vais voir Madame pour lui raconter combien vous avez été inquiet pour elle. Je suis sûre que ça lui fera plaisir.

Et Dorine sortit en faisant un grand salut à Orgon.

– Vous ne voyez donc pas qu'elle se moque de vous ? demanda Cléante à Orgon. Et je dois vous dire qu'elle a raison. Votre femme a été malade et cela ne vous fait rien, vous ne demandez aucune nouvelle de vos enfants et de votre mère. Tartuffe, Tartuffe, Tartuffe... Vous avez aidé cet homme à sortir de la misère, c'est bien. Mais maintenant, on dirait que vous l'aimez plus que votre famille. Pour vous dire la vérité, je trouve que cet homme-là ne mérite pas une telle amitié.

– On voit bien que vous le connaissez mal. C'est un homme qui... ah ! un homme dont... un homme, enfin ! Il a réussi à me montrer quelles étaient les choses importantes dans la vie. Des choses qui ne sont pas de ce monde. Maintenant, seul le Ciel compte pour moi, et je verrais mourir femme, mère, enfants et vous-même que cela me serait égal.

– Je crois bien que vous êtes devenu fou ! Ouvrez les yeux, Orgon ! Cet homme-là, tout le monde le sait, n'est pas un saint. Au contraire, c'est un faux dévot, un hypocrite qui fait semblant d'être le plus croyant des hommes. Mais observez-le bien : il prie, pleure, se fait tout petit, tout simple, tout doux quand il y a du monde qui le regarde. Les gens vraiment simples, vraiment doux, vraiment croyants n'ont pas besoin de le montrer. Ils n'ont pas besoin non plus de dire aux autres ce qu'ils doivent faire. La façon dont ils vivent est la meilleure manière pour eux de montrer le bon exemple. Tartuffe, lui, joue la comédie. Je vous en prie, mon beau-frère, revenez à vos amis, aux gens qui vous aiment vraiment.

– Vous avez fini ce que vous aviez à dire, Cléante ?

– Oui.

– Eh bien, au revoir, dit Orgon en allant vers la porte de son bureau.

– Encore un mot s'il vous plaît. Oublions un peu Tartuffe. Vous aviez promis à Valère qu'il épouserait Mariane.

– C'est vrai.

– Vous aviez même donné la date de cette fête.

– Tout à fait vrai.

– Alors, qu'avez-vous décidé ?

– On verra, on verra.

– Que devrai-je dire à Valère ?

– Ce que vous voulez.

– Mais que voulez-vous faire pour ce mariage ?

– Ce que Dieu voudra. Au revoir, mon beau-frère.

Après le départ d'Orgon, Cléante rappela Dorine et lui raconta tout :

– Dorine, je te l'avais dit, il va se passer des choses graves dans cette maison. Surveille bien Orgon, essaie de l'empêcher de faire des bêtises. Moi, je vais prévenir Valère. Il faut qu'il vienne le plus vite possible.

Cléante eut à peine le temps de partir et Dorine de se cacher derrière la porte qu'Orgon entra :

– Mariane ! appela-t-il. Il n'y a donc personne dans cette maison pour mon retour ? Mariane !

Mariane descendit l'escalier à toute vitesse :

– Vous m'avez appelé, mon père ?

– Ah, te voilà enfin ! Attends un instant !

Orgon se mit alors à chercher partout, derrière les fenêtres, dans les pièces à côté, mais ne vit pas Dorine.

– Que cherchez-vous, mon père ?

– Je cherche si personne ne peut écouter notre conversation, car j'ai à te parler en secret. Bien, nous sommes seuls. Ma fille, ma très chère fille...

– Oui, mon père !

– Ma très chère fille, tu es la plus gentille et la plus tendre de toutes les filles. Et tu sais que je t'aime, ma très chère Mariane, comme un père doit aimer une fille telle que toi.

– Je vous remercie, mon père.

– Bien. Pour me remercier vraiment et pour mériter mon amour, tu sais que tu dois m'obéir.

– Et je le fais de mon mieux, mon père.

– Très bien. Que penses-tu de Tartuffe ? Réfléchis bien à ta réponse.

– Euh, je ne sais pas... J'en pense ce que vous voulez.

– Très, très bien. Tu penses donc que c'est un homme extraordinaire, plein de qualités, et tu vas me dire que tu l'aimes assez pour te marier avec lui. Sois heureuse, ma très chère fille. Je suis d'accord.

– Quoi ? Je n'ai pas bien compris... Vous avez dit que je voulais me marier avec qui ?

– Eh ! avec Tartuffe bien sûr !

– Mais je n'ai jamais dit ça ! Ce n'est pas vrai.

– Eh bien moi, je veux que ce soit vrai. C'est décidé. Nous sommes d'accord. Tartuffe, en t'épousant, entrera dans ma famille et... Que fais-tu là, Dorine ? Tu écoutes les conversations sérieuses d'un père et de sa fille ?

En effet, Dorine était sortie de derrière la porte où elle s'était cachée :

– Non, non, je viens de rentrer, répondit-elle. C'était pour vous annoncer une mauvaise nouvelle. Il paraît qu'on veut marier Mariane avec Tartuffe.

– En quoi est-ce si mauvais ?

– Non, je ne vous crois pas. Vous nous faites encore une de vos bonnes plaisanteries. Ah, ah, ah, qu'elle est drôle ! Ah, ah, ah, je ne peux plus m'arrêter de rire. J'en pleure ! Non, Mariane, ne croyez pas ce que dit votre père. Oh, j'en ai mal au ventre ! Je n'ai jamais autant ri de ma vie.

– Mais c'est très sérieux. Mariane va épouser Tartuffe.

– Vous, un homme aussi sage, que tout le monde prend en exemple, non, je n'y crois pas. Ou alors, c'est que le soleil de la campagne vous a frappé sur la tête et que vous êtes devenu fou. Un médecin, vite, un médecin !

– Ah, mais qu'est-ce qui me prend, à moi, de discuter avec une servante ? Dis-moi, Dorine, as-tu oublié qui tu es et qui je suis ?

– Bien, bien, ne nous fâchons pas, répondit Dorine, devenue sérieuse. Allons. Du calme. Essayons de penser comme des gens normaux. D'abord, Tartuffe est un dévot qui passe son temps à l'église. Un homme comme ça ne se marie pas et ne pense qu'à Dieu. Ensuite, il est pauvre. Votre fille sera bien malheureuse, elle qui n'a jamais manqué de rien...

– Tais-toi, insolente. Sa pauvreté même fait sa grandeur. D'ailleurs, il est noble et je lui donnerai tout l'argent qu'il faudra pour qu'il rachète son château et ses terres.

– Il dit qu'il est noble. Il le crie partout, il le répète à tout le monde. Pour un homme aussi dévot, aussi croyant, c'est bizarre, quand même... Ne parlons plus de lui, ni de sa noblesse. Parlons plutôt de Mariane. Votre fille n'aime pas Tartuffe, ça se voit. Elle le déteste, même. Est-ce qu'on oblige sa fille à épouser quelqu'un qu'elle déteste ? Vous savez ce qu'elle va faire, Mariane, quand vous l'aurez mariée de force avec ce monsieur ? Elle ira le tromper avec tous les jeunes gens qui passent. Et tout le monde parlera d'elle comme d'une... Vous avez vu la tête de Tartuffe ? Il a la tête d'un cocu* !

Voyant qu'il ne pouvait faire taire sa servante, Orgon se retourna vers sa fille et fit comme si Dorine n'était pas là.

– Ma très, très, très chère fille. Je vous avais promise à Valère. Mais on m'a dit qu'il perd son argent au jeu. Ce que je sais, moi, c'est que je ne le vois jamais à l'église.

– C'est normal, dit Dorine, il n'y va pas aux mêmes heures que vous. Il n'est pas comme d'autres que je connais et qui y vont pour que Monsieur Orgon les voie.

– Vas-tu te taire, Dorine, sinon, je te donne une gifle dont tu te souviendras !

– Si je parle, Monsieur, c'est pour votre bien.

– Je ne veux pas qu'on parle pour mon bien.

– C'est parce que je vous aime.

– Je ne veux pas qu'on m'aime.

– Eh bien, je vous aimerai quand même, même si vous ne le voulez pas.

Orgon leva le bras comme pour donner une gifle. Dorine fit un pas en arrière.

– Est-ce que tu vas te taire, à la fin, avant que je te casse la tête ?

– Quoi ? Vous êtes dévot et vous vous mettez en colère [1] ! Oh, Monsieur ! Ce n'est pas bien.

– Pour la dernière fois, tais-toi !

– Je me tais, mais ça ne m'empêche pas de penser.

– Pense, mais ne me parle plus. Ma très chère fille, ma décision est prise. Bien sûr, Tartuffe n'est pas un joli jeune homme, mais...

– Pour une fois, on voit la vérité, dit Dorine.

– Tu as parlé, Dorine, attention à toi !

– Non, je n'ai pas parlé, j'ai pensé à voix haute.

– Donc, Mariane, tu épouseras Tartuffe, car je crois que... Et bien Dorine, tu ne dis rien ?

– Je n'ai rien à dire.

– Même pas un mot ?

– Je n'en ai pas envie.

– Tu vas parler, à la fin ?

Et Orgon essaya d'envoyer une gifle à Dorine qui s'enfuit en courant et en riant.

– Cette Dorine me rendra fou, dit Orgon en s'essuyant le front. Et toi, Mariane, tu épouseras mon frère, mon ami. Oh ! j'ai besoin de respirer un peu. Ma tête va exploser. Cette Dorine... Cette Dorine...

Dès que son père fut sorti, Mariane, qui n'avait rien dit, tomba dans un fauteuil et se mit à pleurer :

– Valère, mon Valère, si je ne t'épouse pas, je me tuerai.

---

1. Rappelons que le nom « Orgon » vient du mot grec *orgé*, qui veut dire « colère ». Dorine joue avec les mots.

Tartuffe amoureux

Dorine décida alors de devenir le chef de l'armée anti-Tartuffe. Elle avait compris que ses maîtres ne savaient pas comment se défendre contre un homme comme lui. Elle, elle connaissait bien ce genre de personnage. Quand elle allait au marché, elle en voyait souvent qui lui ressemblaient et écoutaient les conversations pour les répéter ensuite à la police. Mais la famille Pernelle ne pouvait pas comprendre ce qu'étaient vraiment les tartuffes [1] : elle vivait dans un autre monde. Dans le petit salon d'Elmire, Dorine réunit Elmire, Cléante, Valère, Damis et Mariane.

– Mes maîtres, leur dit-elle, pardonnez-moi d'avoir l'air de vous commander, mais l'affaire est grave. Je crois bien que Monsieur Orgon veut marier dès ce soir Tartuffe à Mariane. Monsieur est devenu complètement fou de ce méchant homme. Et plus on essaie de le sortir de sa folie, plus il croit que Tartuffe est bon et nous méchants. Notre ennemi, c'est Tartuffe, ce n'est pas Monsieur, il ne faut pas l'oublier. C'est contre Tartuffe qu'il faut se battre.

– Mais comment, ma bonne Dorine ? demanda Cléante. J'ai essayé de lui parler plusieurs fois. Il est impossible de le prendre en faute. On dirait un savon qui glisse entre les mains.

– Bien sûr, Monsieur Cléante. Vous, vous n'êtes pas un hypocrite. Lui, c'est son métier d'être hypocrite. Il est plus fort que vous.

– Alors, c'est moi qui vais le chasser d'ici, dit Damis. À grands coups de poings !

---

1. Tartuffes : le mot « tartuffe » est devenu un nom commun qui désigne une personne hypocrite.

– Surtout pas, Damis, répondit Dorine. Si vous frappez Tartuffe, Orgon croira que c'est lui que vous frappez. Et malheur à celui qui frappe son père ! Damis, par pitié, ne faites rien, restez calme. Vous risqueriez de nous perdre tous.

– Nous irons le voir, Valère et moi, dit Mariane, et nous nous jetterons à ses genoux. Cet homme-là a un cœur, quand même...

– Oh oui ! Il a un cœur. N'est-ce pas, Madame...?

– Oui, répondit Elmire, j'ai compris. J'ai bien vu, moi aussi, que ce Tartuffe était moins dur avec moi qu'avec vous. J'irai donc lui parler et je pense que je réussirai à lui faire comprendre qu'il ne doit pas épouser Mariane. Va lui dire que je veux le voir, Dorine.

– Je reste avec vous, et je vous défendrai contre lui, dit Damis.

– Non, surtout pas ! crièrent les autres tous ensemble.

– Allez dans vos appartements maintenant, dit Dorine. Moi, je descends attendre le pauvre homme, comme dirait Monsieur Orgon. Il va bientôt rentrer, juste avant le chocolat de quatre heures, comme d'habitude.

Dorine avait raison. Elle était encore en haut de l'escalier quand elle vit arriver Tartuffe et Laurent. Les deux hommes riaient comme s'ils venaient de faire une mauvaise plaisanterie à quelqu'un. Mais dès que Tartuffe vit Dorine, il reprit son air triste :

– Laurent, dit-il très fort, rappelez-moi ce soir que je devrai me coucher nu par terre et me frapper la tête contre le mur pour me punir de mes péchés d'aujourd'hui. Que voulez-vous, Dorine ?

– Je voulais vous dire que...

– Ah, mon Dieu, avant de parler, prenez ce bout de tissu !

– Comment ?

– Couvrez votre poitrine. Votre robe est trop ouverte, on y voit trop de choses et cela fait venir des pensées coupables.

– Ça alors ! Vous êtes tenté par bien peu de choses. Votre vie doit être bien difficile quand vous vous promenez dans la rue ! Rassurez-vous, moi, même si je vous voyais tout nu, ça ne me ferait rien du tout !

– Si vous me parlez dans cette tenue, je serai obligé de partir, dit Tartuffe en baissant les yeux sur ses chaussures.

– Attendez un peu. Madame veut vous parler tout de suite. Elle est dans son petit salon.

– Avec plaisir. Je monte. Je ne veux pas la faire attendre.

Et Tartuffe se mit à courir dans les escaliers.

– Eh, le voilà bien doux, tout à coup, dit Dorine à Laurent. C'est bien ce que je pensais.

– Et vous, jolie Dorine, vous ne voulez pas me parler à moi ? demanda Laurent en essayant de s'approcher.

– Oui, je vais te dire deux mots seulement : « Si tu fais encore un pas, tu recevras la plus belle gifle de ta vie, sale petit voyou. »

Pendant ce temps, Tartuffe était entré chez Elmire. Il salua en se penchant très bas et dit :

– Que le Ciel vous donne pour toujours la santé de l'âme* et du corps.

– Je vous remercie pour cette manière très religieuse de me souhaiter une bonne santé, monsieur, répondit Elmire.

– Vous n'avez plus mal à la tête ?

– Non, tout va bien, merci.

– Ah, madame, je sais bien que je ne suis rien devant Dieu, mais je n'ai pas arrêté de prier pour vous pendant toute votre maladie. J'aurais donné ma santé pour que vous vous sentiez mieux.

– *Couvrez votre poitrine. Votre robe est trop ouverte, on y voit trop de choses et cela fait venir des pensées coupables.*

– Vous exagérez la charité chrétienne. Bien, je suis contente que nous soyons seuls, car il faut...

– Oh ! moi aussi madame, je suis tellement heureux que nous puissions enfin être seuls. J'ai tant de fois prié le Ciel pour cette rencontre.

Tout en disant cela, Tartuffe rapprochait sa chaise de celle d'Elmire.

– ... Oui, tous les jours je rêvais de vous voir seul à seul, et...

– Je voudrais, monsieur, que vous me disiez toute la vérité sur...

– Ah, madame, je vais vous dire la vérité. Si je me suis fâché l'autre jour quand vous receviez des visites, c'est parce que quand j'ai vu tous ces hommes autour de vous qui...

– Je vous remercie de vous occuper aussi de la santé de mon âme...

Tartuffe, qui était maintenant assis juste à côté d'Elmire, lui prit la main. Elmire la retira très vite :

– Aïe, monsieur, vous me serrez trop fort !

Tartuffe posa alors sa main sur le genou d'Elmire.

– Que faites-vous là, monsieur ?

– Je touche votre robe. Son tissu est doux.

Elmire tira sa chaise plus loin et Tartuffe la suivit, toujours assis sur la sienne.

– C'est vraiment une très jolie robe, dit-il encore, on fait de très beaux vêtements aujourd'hui.

– Très beaux. Mais parlons de notre affaire, dit Elmire qui commençait à avoir peur. Il paraît que mon mari veut vous donner sa fille. C'est vrai ?

– Il m'en a un peu parlé, mais ce n'est pas le bonheur dont je rêve.

– Bien sûr, vous n'aimez pas les plaisirs de la terre, mais plutôt les beautés que vous offrent Dieu et la religion.

– J'aime aussi tout ce que Dieu a fait de beau dans la nature. Et vous, madame, il vous a offert

ce qu'il y a de mieux. Vous êtes tellement belle...
Au début, quand je vous ai vue et que je vous ai
aimée, j'ai cru que c'était le diable qui me tentait.
Mais après, j'ai su que cet amour m'avait été
donné par Dieu. Oui, madame, je ne pense qu'à
vous, jour et nuit, et enfin j'ose vous en parler.
Répondez, je vous en prie, pour que je sache
enfin si je peux espérer être aimé de vous. Je serai
heureux si vous le voulez, ou malheureux si cela
vous plaît.

– Permettez-moi d'être surprise par cette déclaration d'amour. Un dévot comme vous...

– Je suis dévot, mais je suis un homme. Même
un saint vous adorerait en vous regardant. C'est de
votre faute, c'est à cause de votre beauté que je
vous aime avec tant de force. Ah, si vous m'aimiez
un peu, madame, une heure, une minute, c'est de
vous que je deviendrais le dévot. Et puis, n'ayez
pas peur, nous autres dévots, sommes des gens qui
ne racontons pas partout nos histoires d'amour.
Nous les gardons pour nous seuls, en secret. Personne ne saura jamais que je vous adore, oh, ma
déesse !

– Et si j'allais raconter à mon mari tout ce que
vous venez de me dire, monsieur ? Je pense qu'il
ne resterait plus longtemps votre ami.

– Vous n'êtes pas une femme à faire cela. Vous
m'excuserez de vous avoir dit mon amour. Si
vous ne m'aimez pas, laissez-moi au moins vous
aimer en silence...

– Rassurez-vous, je ne dirai rien à mon mari.
Mais vous, de votre côté, laissez Mariane et Valère
se marier. J'oublierai alors ce que...

Soudain, la porte de l'armoire s'ouvrit et Damis
sortit comme un fou :

– Non, madame ! J'ai tout entendu. Il faut que
mon père sache qui est cet homme. Et que ce
voyou qu'il a nourri, enrichi et aimé comme un

frère est entré chez lui pour lui voler sa femme. Il faut tout lui dire. Parlez à mon père, madame, parlez-lui !

Tartuffe s'était levé, tout rouge, mais, très vite, il retrouva son calme et son air doux, l'air de celui qui est né pour souffrir. Elmire, elle, dit calmement à Damis :

– Vous êtes un enfant, Damis. M. Tartuffe, j'en suis sûre, sera maintenant plus sage. Et puis, une femme se moque d'entendre des bêtises pareilles. Elle ne va pas ennuyer son mari avec ça. Combien de fois j'aurais dû lui raconter les mots trop aimables de certaines personnes. Des mots sans importance, mais qui pouvaient blesser Orgon.

– Vous faites ce que vous voulez, madame, mais moi, je vais lui dire ce que j'ai entendu. Le moment est enfin venu. Cet homme-là veut diriger notre maison, il veut épouser ma sœur, il veut tuer de chagrin mon ami Valère, et je ne dirais pas à mon père qu'en plus il veut lui voler sa femme ? Non, non, ma colère...

Et Damis s'avança vers Tartuffe pour le frapper.

– Damis, je vous en prie ! dit Elmire qui le retint par le bras.

Damis se retourna, courut vers la porte du petit salon l'ouvrit et appela :

– Père, père, venez vite !

Orgon entra, le visage blanc de peur.

– Qu'y a-t-il ? Quelqu'un est malade ? Tartuffe ?

– Oh non, mon père, votre Tartuffe se porte très bien ! Je l'ai entendu parler d'amour à votre femme. Et ce n'était pas de l'amour de Dieu, mais d'un amour humain, trop humain. Elmire ne voulait pas vous le dire, car elle ne voulait pas vous faire de peine. Mais moi, j'ai tout entendu et tout vu : ce méchant homme qui vous fait croire qu'il est dévot a touché sa main, son genou, il lui a dit des mots d'amour, il a...

– Cela suffit, Damis, dit Elmire, je n'ai besoin de personne pour me défendre contre ce genre de choses. Vous n'auriez rien dit, si vous m'aviez fait confiance. Je m'en vais, je ne veux plus rien entendre.

Orgon regardait son fils, sa femme et Tartuffe, et, quand il vit Elmire s'en aller, il dit enfin :

– Mamie, mamie, attendez, non... Elle est partie. C'est impossible ! Je viens d'entendre des choses...

Alors Tartuffe se coucha par terre sur le ventre, les bras étendus, comme Orgon l'avait vu à l'église quelques mois avant.

– Oui, mon frère, pleura-t-il, je suis un méchant, un coupable, un malheureux pécheur plein de crimes. Croyez tout ce qu'on vous a dit et chassez-moi de chez vous !

En voyant Tartuffe pleurer ainsi, Orgon se tourna vers Damis et dit :

– Comment as-tu osé dire du mal d'un homme tel que lui ?

– C'est un hypocrite, un menteur !

– Tais-toi !

– Non, non, pleura Tartuffe, laissez-le parler, croyez tout ce qu'il vous dit. Vous ne savez pas de quoi je suis capable. Ne faites pas confiance à mes gestes et à mes paroles. Oui, je suis un hypocrite. Tout le monde croit que je suis un homme honnête, mais non, non, je ne vaux rien, c'est la vérité. Et vous, Damis, mon cher enfant que j'aime comme si vous étiez mon fils, oui, oui, donnez-moi tous les défauts de la terre. Vous avez raison.

Orgon montra encore Tartuffe à Damis :

– Es-tu fou, mon fils, d'oser dire de telles choses sur ce saint homme ?

– Mais ce n'est pas possible, mon père, que vous vous trompiez sur lui comme cela...

– Tais-toi ou je te casse les bras, et vous, Tartuffe, relevez-vous, par pitié !

– Ah ! dit Tartuffe, ne vous mettez pas en colère, ne frappez pas ce pauvre enfant, car je ne veux pas qu'il ait du mal à cause de moi...

– Vois comme cet homme est bon avec toi, cria Orgon de plus en plus en colère.

Mais Damis aussi criait de plus en plus fort :

– C'est impossible ! Ne pas voir que cet homme-là est le pire de tous les hommes !

– Tais-toi, c'est le meilleur de tous et il aura ma fille.

– Non, il ne l'aura pas !

– Je vais te tuer, mauvais enfant ! Non, ne me retenez pas Tartuffe. Sors de ma maison, Damis, tu n'es plus mon fils. Ne reviens jamais ici. Tu n'es plus chez toi, tu n'es plus le fils d'Orgon. Tu es mort pour moi.

Damis sortit en claquant la porte. Cette fois, tout était perdu pour lui. Il se retrouvait à la rue, seul.

Quand il fut parti, Tartuffe se releva enfin et, levant les yeux vers le ciel, il dit :

– Ah, mon frère, on tente de vous faire croire que je suis le pire des hommes.

– Hélas !

– J'en ai mal dans mon corps et dans mon cœur... Je crois que je vais en mourir.

Orgon se jeta en pleurant dans les bras de Tartuffe :

– Mais moi je ne les crois pas ! Moi, je vous aime !

– Laissez, mon frère. Il faut que je m'en aille d'ici. Tout le monde me déteste. Un jour, vous finirez par les croire. Une femme peut tout faire croire à son mari. Je pars.

– Non, restez, sinon, c'est moi qui mourrai.

– Dans ce cas, malgré tout, si vous le voulez si fort, je resterai, mais je ne reverrai plus votre femme.

– Vous la verrez, vous la verrez tout le temps, je le veux. Je vais même faire plus. Oui, vous aurez ma fille. Mais vous aurez aussi ma maison, je vous la donne. Vous aurez ma richesse, mon argent, mes terres, je vous les donne. Je vais tout de suite écrire les papiers qu'il faut...

– C'est Dieu qui le veut, répondit Tartuffe.

– Allons vite signer tout cela. Ils vont en être malades de jalousie.

Et Orgon se mit à rire. Il croyait n'avoir jamais été aussi heureux de sa vie.

Dorine réunit à nouveau son armée. Il manquait maintenant Damis et Valère. Mariane pleurait : elle savait que son père avait déjà préparé le contrat de mariage* et qu'il serait signé le soir même. Dorine, très en colère, trouvait que ses maîtres ne savaient rien faire comme il le faut, surtout Damis. Cléante dit enfin :

– J'ai essayé de parler à Tartuffe une dernière fois. Mais il n'y a rien à faire. Il ne veut pas — enfin, il dit qu'il ne peut pas — parler à Orgon pour que celui-ci fasse revenir Damis. Vous savez ce qu'il m'a dit ?

Soudain la porte s'ouvrit et Orgon entra :

– Ah, je suis content de vous voir tous réunis. Ma fille, sois heureuse, tu seras mariée ce soir.

Mariane se mit à genoux :

– Non, mon père, par pitié. Vous qui, toute mon enfance, avez été pour moi à la fois un père et une mère, vous voulez maintenant faire de moi la plus malheureuse des femmes ? Vous ne voulez pas que j'épouse Valère ? Alors je ne l'épouserai pas. Je vous obéirai, même si mon cœur me fait mal. Mais par pitié, ne me jetez pas dans le lit d'un homme que je déteste. Vous m'obligeriez alors peut-être à en finir avec la vie.

Orgon sentit soudain qu'il allait céder au désespoir de sa fille. Mais Mariane ne le vit pas et elle ajouta :

– Aimez ce Tartuffe plus que nous, si vous le voulez, donnez-lui toute votre richesse et donnez-lui aussi tout ce que ma mère m'a laissé en mourant. Je vous laisse tout cela. Et j'entrerai au couvent* pour y finir ma triste vie...

– Toujours la même histoire, cria Orgon. Le couvent, le couvent! Mais le couvent n'est pas fait pour les jeunes filles qui ne veulent pas du mari que leur donne leur père. Le couvent est pour les femmes qui veulent passer leur vie avec Dieu. Debout, ma fille! Plus vous détestez Tartuffe, plus j'ai envie qu'il soit votre mari. Vous voulez un couvent? Eh bien Tartuffe sera votre couvent.

– Mais alors... dit Dorine.

– Toi, tu te tais ou tu sors de chez moi.

– Puis-je vous donner un conseil? dit Cléante.

– Vos conseils sont les meilleurs du monde, mon cher beau-frère. Mais gardez-les pour vous. Et vous, mamie, vous n'avez pas, vous aussi, un conseil à me donner?

– Je ne sais pas quoi vous dire, tellement j'admire la manière dont vous aimez ce Tartuffe, dit Elmire. Vous l'aimez tant que vous chassez votre fils qui voulait me défendre contre lui. Cet homme peut poser sa main sur moi et vous l'aimez encore plus.

– Je sais, mamie, que vous défendez toujours ce Damis, qui n'est plus mon fils. Je trouve même que vous le défendez trop. D'ailleurs si Tartuffe vous avait fait ce que Damis a raconté, vous n'auriez pas été aussi tranquille, aussi calme, quand je vous ai vue tout à l'heure avec lui.

– Mon ami, pourquoi faudrait-il que chaque fois qu'un homme nous dit des mots d'amour, nous autres femmes, nous nous mettions à crier au secours? Moi, je préfère en rire. Car je crois que la meilleure manière de se défendre contre cela c'est de rester calme et de montrer que cela ne nous intéresse pas. Les femmes qui crient le plus fort quand un homme leur dit son amour sont souvent celles qui ont envie de répondre oui.

– Ça ne change rien à ce que je pense : il ne s'est rien passé. Jamais Tartuffe n'aurait osé faire une chose pareille avec ma femme, la femme de l'homme qu'il appelle « son frère ».

– Et si je vous faisais voir, moi, ce que cet homme est capable de faire à votre femme...

– Voir ?

– Oui, mon ami, voir la vérité.

– Voilà bien des bêtises ! C'est impossible.

– Quel homme vous êtes, vous aussi ! Mais répondez-moi, au moins. Je ne vous demande pas de croire ce que je dis. Je vous demande de voir, bien caché, ce que Tartuffe veut de moi. Que diriez-vous alors de votre « pauvre homme », de votre frère ?

– Je dirais que... Je ne dirais rien, car c'est impossible.

– Maintenant, j'en ai assez, dit Elmire qui, pour la première fois de sa vie peut-être, se mit en colère. Vous dites que je mens. Je vais vous montrer la vérité.

– Eh bien d'accord, répondit Orgon en riant. Mais attention, mamie ! Car je sais, moi, que Tartuffe ne peut pas...

– Va l'appeler, Dorine. Cléante, Mariane, laissez-nous seuls.

Dès qu'ils furent seuls, Elmire dit à Orgon :

– Mettez-vous sous la table.

– Quoi, moi, sous la table, mais pourquoi ?

– Cachez-vous, vous dis-je, il faut qu'il ne vous voie pas et qu'il ne vous entende pas.

Orgon se mit sous la table en disant :

– Je suis vraiment trop bon avec vous. Enfin, vous allez voir que j'ai raison !

– Maintenant, écoutez-moi bien. Ne croyez rien de ce que je vais dire à Tartuffe. Avec cet hypocrite, je serai hypocrite. Je lui dirai des mots doux. Ne les croyez pas et écoutez bien ce qu'il va me répondre. Si, à un moment, il va trop loin, si vous sentez que je suis en danger, alors, venez à mon secours. Vous êtes le maître... Silence, le voilà. Cachez-vous, Orgon.

À peine Orgon fut-il sous la table que Tartuffe entra, les yeux baissés, l'air dur, le chapeau à la main :

– Vous vouliez me parler, madame ?

– Oui, j'ai quelque secret à vous dire. Fermez la porte et regardez s'il n'y a personne qui nous écoute. Ce qui s'est passé tout à l'heure ne doit pas se reproduire. Oh, j'ai eu très peur pour vous en voyant Damis essayer de vous frapper. Je ne pouvais plus parler, sinon, je vous aurais défendu contre lui, j'aurais dit qu'il mentait. Mais maintenant, tout va bien. Orgon veut que nous soyons toujours ensemble vous et moi. Nous pouvons nous voir quand vous voulez. Je vais donc vous dire la vérité de mon cœur sans que personne ne nous entende.

– Je ne comprends pas bien. Vous ne disiez pas cela, il y a quelques heures...

– Vous ne connaissez donc rien aux femmes. Quand un homme nous dit tout son amour, comme vous l'avez si bien dit, nous commençons par nous défendre. Mais si notre bouche dit non, notre regard dit le contraire. Pourquoi ai-je laissé Orgon chasser Damis de la maison ? Pourquoi ai-je écouté jusqu'au bout votre déclaration d'amour ? Pourquoi n'ai-je rien dit à mon mari ? Pourquoi, enfin, vous ai-je demandé de ne pas épouser Mariane ? Vous voyez bien, je vous disais non, mais je faisais tout pour vous faire comprendre que mon cœur disait oui.

– Ah ! madame, quel bonheur de vous entendre dire ces mots, répondit Tartuffe en s'approchant d'elle. Mais je ne sais pas encore si vous dites la vérité, si vous m'aimez, ou si c'est pour que je n'épouse pas Mariane. Vos paroles si douces sont peut-être des mensonges. Montrez-moi votre amour de façon plus réelle. Alors, peut-être vous croirai-je, et mon bonheur sera complet.

Elmire recula d'un pas et toussa très fort pour avertir son mari. Mais, sous la table, rien ne bougeait.

– Vous allez trop vite, monsieur, répondit-elle à Tartuffe. Est-ce ainsi qu'on essaie de plaire à une femme ? Vous avez déjà mon cœur, et tout de suite c'est mon corps qu'il vous faut.

– Je suis si peu de chose, et vous, vous êtes si belle que je ne crois pas encore au bonheur que vous me donnez. C'est pourquoi je veux que vous passiez des paroles aux actes.

– Mais le Ciel, dont vous parlez tout le temps, pourrait bien nous punir de ce péché.

– Allons, allons, ce n'est pas si grave. Bien sûr, Dieu interdit ce genre de choses, mais on peut s'arranger avec Lui. N'ayez pas peur de Lui, madame. Et donnez-moi ce que je désire. Le Ciel me punira peut-être, mais pas vous... Vous toussez beaucoup. Vous êtes encore malade ?

– Oui, j'ai très mal...

– C'est bien ennuyeux. Mais je sais comment vous soigner, moi. Et personne ne saura jamais ce qui s'est passé entre nous. Le péché que personne ne connaît n'est pas un péché. Un baiser, madame, un baiser seulement...

– Eh bien, puisqu'on ne veut rien croire de ce qui se passe ici, puisqu'on m'oblige à aller encore plus loin, dit Elmire en toussant de plus en plus fort, je vais l'accepter, ce baiser. Mais avant, allez

voir si mon mari n'est pas dans le couloir, derrière la porte.

– Lui ! Oh, avec l'amitié qu'il me porte, je pourrais me retrouver dans votre lit qu'il ne dirait rien !
Mais je vais voir s'il n'y a personne d'autre qui
pourrait nous surprendre.

Dès que Tartuffe fut sorti, Orgon apparut de
dessous la table :

– Jamais je n'ai vu quelqu'un d'aussi mauvais.
Ah, le méchant homme !

– Allons, cachez-vous encore, dit Elmire. Attendez
pour être sûr. Vous pouvez vous tromper....

– Non, rien de plus méchant n'est sorti de l'enfer !

– Cachez-vous derrière moi, le voici.

– Tout va bien, dit Tartuffe sans voir Orgon. Il
n'y a personne dans la maison. Je vous ouvre les
bras et...

Orgon apparut et cria :

– Doucement ! Ah, ah ! le saint, le dévot, vous
vouliez me tromper, vous épousiez la fille et vous
preniez la femme !

– Je suis désolée, monsieur, dit Elmire à Tartuffe,
mais je ne pouvais pas faire autrement.

– Mon frère, dit Tartuffe, vous croyez que...

– Ça suffit, répondit Orgon, sortez de chez moi !

– Mais je voulais seulement...

– Non, c'est fini tout cela. Sortez de ma maison,
et n'y revenez jamais !

– Ah, mais non, dit Tartuffe, c'est à vous d'en
sortir. Maintenant, cette maison m'appartient. Vous
me l'avez donnée tout à l'heure. Demain, je ne
veux plus voir personne ici. Eh bien ! Dieu vous
punira pour ce que vous m'avez fait et ce que vous
avez fait au roi.

Et Tartuffe sortit, comme s'il était le maître.

– Cachez-vous derrière moi, le voici.

_Tartuffe et le roi

Tartuffe prit le meilleur cheval de Damis — c'était son cheval, maintenant — et il partit à toute vitesse. Il s'arrêta devant la maison d'un huissier*, M. Loyal.

– Que le Ciel vous aide, frère Loyal, dit-il à l'huissier.

– Que le Ciel vous aide aussi, frère Tartuffe. Avez-vous réussi ? M. Orgon est-il devenu un frère de la Compagnie ?

– Sa famille l'en a empêché. Mais il a donné la moitié de sa richesse à la Compagnie et l'autre moitié à moi-même.

– Voilà qui est bien, frère Tartuffe. Je ne m'étais pas trompé. J'ai eu raison de vous sortir de prison.

– Merci, frère Loyal. Mais j'ai peur qu'Orgon et sa famille ne veuillent pas partir de chez moi.

– Eh bien, mon frère, j'irai les chasser. C'est mon métier. Avez-vous les papiers qui me permettront de le faire ?

– Les voici. Mais je ne peux pas vous accompagner là-bas. Je dois aller à Versailles.

– À Versailles ? Vous allez voir le roi ?

– Non, mais je vais lui rendre un grand service. Cela lui fera peut-être aimer enfin la Compagnie du Saint-Sacrement.

– Si vous réussissez cela, frère Tartuffe, nous ne l'oublierons jamais. Que le Ciel vous aide !

– Que le Ciel vous aide, frère Loyal.

Sur la route de Versailles, Tartuffe se disait :

« Jamais, non, jamais une femme ne m'a fait une chose pareille. Ah, ils me le paieront ! Orgon ira en prison. Et Elmire... Elmire, mon Elmire, comme je t'aurais aimée ! Elmire sera dans la rue. Elle vendra à tout le monde ce qu'elle n'a pas voulu me donner à moi, Don Juan-Tartuffe.»

Arrivé à Versailles, il demanda à voir un exempt*. Il put enfin entrer dans le bureau de ce policier très important. Cela lui rappelait de mauvais souvenirs, mais il ne montra pas qu'il avait peur.

– Monsieur, dit-il en prenant son air le plus dévot, j'ai découvert que des gens veulent faire du mal à Sa Majesté le roi de France. Voici le dossier que j'ai trouvé.

– Faites voir, dit l'exempt qui commença à lire les papiers qu'Argas avait donnés à Orgon et Orgon à Tartuffe.

Puis le policier dit comme s'il se parlait à lui-même :

– Oui, bien, nous connaissons tous ces gens. Argas... Il n'est plus dangereux. Il est parti de France. Mais tout cela est intéressant. Je vais le montrer au roi. Dites-moi, monsieur, qui êtes-vous ?

– Je m'appelle Tartuffe. Je ne suis qu'un pauvre homme qui prie Dieu chaque jour pour que Sa Majesté soit le plus grand roi du monde.

– Très bien. Mais... où avez-vous trouvé ces papiers ?

– Chez un certain Orgon, un libertin, un homme qui déteste Dieu et le roi. Un homme dont toute la famille vit dans le péché.

– Orgon... oui, je connais ce nom-là. Il nous avait rendu de grands services pendant la Fronde. Comme Argas, d'ailleurs.

– Les gens changent, monsieur, quand le diable vient les voir.

– Parfait, monsieur le dévot. Moi, je vais voir le roi. Vous, restez dans mon bureau, je n'en ai pas pour longtemps. Et nous irons ensuite voir cet Orgon. Ça vous fera plaisir, n'est-ce pas, quand je l'emmènerai en prison ?

– Je prierai pour lui.

L'exempt sortit de son bureau, ferma la porte à clé derrière lui et entra chez un autre policier :

– Tu connais, toi, un certain Tartuffe ?

– Oh oui, je le connais. C'est un noble espagnol qui, il y a quelques années, a fait là-bas les pires crimes. Il croyait être au-dessus des lois. Il a réussi à s'enfuir. On l'a arrêté en France pour un vol, mais le temps que j'arrive dans sa prison, hop, la Compagnie l'avait fait sortir. Depuis, plus rien, il a disparu.

– Il est dans mon bureau. Laisse-le-moi, mais surveille-le bien.

– Avec plaisir.

Et l'exempt se rendit chez le roi.

Louis XIV dînait. Derrière lui, les nobles, debout, attendaient ses ordres pour lui servir les plats.

– Où sont messieurs Molière et Lully ? Je suis tellement content de leur dernier spectacle que je veux les voir dîner à ma table.

C'était un des plus grands honneurs que le roi pouvait faire à un homme. Molière et Lully s'avancèrent en saluant très bas et s'assirent quand le roi leur fit signe. À ce moment, le ministre de la Police arriva et dit quelques mots à l'oreille du roi.

– Eh bien, dit le roi, faites entrer cet exempt pour qu'il me raconte lui-même son histoire.

Le policier qui avait reçu Tartuffe entra, salua très bas lui aussi, et raconta l'histoire du dossier que lui avait donné le dévot.

– Tout cela commence à m'ennuyer beaucoup, dit Louis XIV. Monsieur Fouquet est en prison. Ses amis sont en fuite ou obéissent de nouveau à leur roi. Si cet Orgon n'a pas compris cela, eh bien il ira retrouver son ami Fouquet.

– Sire, répondit l'exempt, Orgon a toujours été un serviteur très obéissant de Sa Majesté. Je crois qu'il a fait une imprudence par amitié pour Argas, mais pas un crime contre Sa Majesté. Je voudrais plutôt vous parler de l'homme qui m'a apporté ce dossier. Il s'appelle Tartuffe. Il fait croire qu'il est dévot, mais c'était, il n'y a pas très longtemps, un grand criminel et un libertin.

– Bah ! répondit le roi en riant — et tout le monde se mit à rire —, j'en ai vu d'autres comme cela, n'est-ce pas, monsieur le prince de Conti ?

Un noble, debout à côté du roi, rougit et baissa la tête.

– Que pensez-vous de tout cela, Molière ? demanda le roi.

– Je pense que cela ferait une très mauvaise comédie. Mais je connais cet Orgon et surtout son épouse, la charmante Elmire. Elle invite chaque mois poètes et artistes...

– Quoi ? Molière, vous allez chez les précieux, après tout le mal que vous avez dit d'eux ? C'est trop drôle !

– Je n'ai parlé que de ceux qui sont ridicules, sire. J'ai vu ce Tartuffe chez Orgon. Il s'est installé dans leur maison et vit là comme s'il était le maître.

– Molière a raison, dit l'exempt. Tartuffe a même réussi à prendre la maison et la fortune d'Orgon.

– C'est vraiment une comédie pour vous, Molière ! dit le roi. Et M. Lully vous mettra dessus une belle musique.

– Sire, dit Lully, les dévots sont trop puissants pour que...

– Y a-t-il en France quelqu'un de plus puissant que moi ? Eh bien, pas de musique donc. D'ailleurs, faire danser un dévot est chose impossible, n'est-ce pas monsieur Lamoignon ? Monsieur l'exempt, faites ce que vous devez faire. Et que je n'entende plus parler ni de ce Tartuffe ni de cet Orgon. Faites ce qui vous semble juste. Et maintenant dînons.

Un homme au milieu des nobles n'avait pas entendu la fin de la conversation. Il était déjà parti à toute vitesse sur la route de Paris : c'était Valère.

Pendant ce temps, dans la maison d'Orgon, tout le monde était à nouveau réuni. Damis était revenu et son père l'avait embrassé en lui demandant pardon. Tous les deux exagéraient toujours ce qu'ils pensaient. Ils pleurèrent, il crièrent : «pardon, mon fils», «pardon, mon père»...

– C'est fini maintenant, les dévots, dit Orgon. Qu'on ne me parle plus de Dieu ni de l'Église. Je vais devenir pour eux pire que le diable lui-même.

– Calmez-vous, voyons, dit Cléante. Ce n'est pas parce que Tartuffe...

– Tartuffe, ah ! Tartuffe, cria Damis, je vais lui couper les oreilles !

– Quoi, dit Mme Pernelle qui n'avait rien compris, Damis, vous osez dire du mal de cet homme de bien. Vous n'êtes qu'un libertin !

– Maman, cria Orgon, vous ne savez donc pas que Tartuffe veut me voler ma maison après avoir voulu me voler ma femme ?

– Non, ce n'est pas vrai. Il n'a jamais fait ça.

– Comment ?

– C'est parce que vous êtes tous jaloux de lui.

– Jaloux ?

– Je te l'ai dit cent fois quand tu étais petit : les jaloux mourront tous, mais pas la jalousie.

– Ah, ma mère, ma mère, je ne suis plus un enfant. Et Tartuffe...

– On vous a raconté des mensonges sur lui.

– «On», qui ça, «on» ?

– C'est Elmire, bien sûr. Quand Éliante vivait...

– Ah, ma mère, ma mère... Je l'ai vu, vous dis-je !
À ce moment-là, Dorine entra :

– Il y a là un drôle d'homme qui demande à vous voir, Monsieur.

– Allez lui demander ce qu'il veut. Je n'ai pas très envie de recevoir quelqu'un en ce moment...

Dorine alla jusqu'à l'entrée où l'homme attendait : c'était l'huissier, M. Loyal.

– Bonjour, ma sœur, dit-il avec un air très doux. Que Dieu vous aide. Pourrais-je parler à M. Orgon ?

– Je suis votre sœur ? dit Dorine. Je ne savais pas que ma mère avait eu un autre enfant. Monsieur Orgon ne peut pas vous voir maintenant.

– Dites-lui que je viens de la part de M. Tartuffe et que ma visite lui fera plaisir.

Dorine répéta ces mots à Orgon. M. Loyal entra.

– Que le Ciel vous aide, dit-il. J'ai toujours aimé votre famille et j'ai rendu des services à monsieur votre père.

– Ah, monsieur, vous êtes bien aimable. Et je crois que votre visite va nous apporter enfin un peu de bonheur.

– Sans doute, monsieur, vous allez être content, puisque je viens de la part de M. Tartuffe. J'ai avec moi un papier qui montre que cette maison ne vous appartient plus et que vous devez partir demain matin, dès que le jour sera levé.

– Moi, partir d'ici ?

– Allons, vous savez bien que, par gentillesse, vous avez offert vos biens à votre meilleur ami, à votre frère...

– Ah, je vais mettre cet homme-là à la porte, dit Damis.

– Je ne vous parle pas, monsieur, mais à votre père qui a l'air si aimable. Il ne faut pas s'opposer à la justice du roi. Sinon, je devrai revenir demain avec quelques policiers.

– Alors, je n'ai plus de maison, dit Orgon.

– Ne vous inquiétez pas, vous pourrez encore dormir ici cette nuit. Tout va bien, je vous salue. Que le Ciel vous garde en bonne santé, vous et votre belle famille.

Et M. Loyal s'en alla, toujours souriant, toujours aimable.

– Ça alors, dit Orgon, il y a donc d'autres personnes aussi mauvaises que Tartuffe. Eh, ma mère, qu'en pensez-vous maintenant ?

– Je ne sais que dire.

– Ce sera bien la première fois, dit Dorine.

La porte s'ouvrit brusquement et Valère entra :

– Monsieur, j'ai une très mauvaise nouvelle à vous apprendre. Tartuffe est allé voir le roi avec les papiers que vous avez eu l'imprudence de lui donner. Un exempt arrive ici avec des policiers pour vous mettre en prison. Il faut partir vite. Venez tous. Ma voiture vous attend, voici de l'argent pour le voyage.

– Partez tous, moi je reste, j'irai en prison, dit Orgon. Je suis le seul coupable. Je ne croyais pas que des hommes comme Tartuffe pouvaient exister.

– Vite, vite, il faut partir maintenant.

Mais il était déjà trop tard. On entendit un bruit de pas dans l'escalier. Des policiers entrèrent. Et Tartuffe apparut.

– Alors, vous vouliez échapper à la justice du roi ? dit-il, vous êtes mon prisonnier.

– Toi que j'ai fait entrer dans ma maison, hypocrite, le plus mauvais de tous les diables !

– J'ai l'habitude d'entendre ce genre de choses. Cela m'est égal, le Ciel et le roi sont avec moi. Et, pour le roi, je tuerais ma mère, ma femme, mes enfants et mes amis.

– Le pauvre homme ! dit Dorine.

– Allez, monsieur, dit Tartuffe à l'exempt, emmenez-moi tous ces gens en prison.

– C'est vous qui allez me suivre, monsieur, répondit l'exempt. Je voulais savoir qui vous étiez vraiment. Je le sais maintenant. Suivez-moi dans votre nouvelle maison : la prison.

– Moi, en prison ? dit Tartuffe. Mais ce sont eux qui...

– Suivez-moi !

– Mais pourquoi ?

– Vous le savez très bien. Depuis des mois, la police vous cherche. Monsieur Orgon, rassurez-vous, vous ne risquez plus rien. Cet homme-là a fait trop de crimes. Le roi le sait et veut qu'enfin il soit puni. Vous, il vous pardonne d'avoir gardé les papiers de votre ami Argas, parce qu'il se souvient de ce que vous avez fait pour lui, il y a long-temps, et de ce que vous faites encore. Le roi est juste et bon.

– Ah, Tartuffe, tu vas payer... dit Orgon en s'approchant du prisonnier.

– Allons, dit Cléante, ne soyez pas comme lui, Orgon, et laissez faire la justice du roi.

– Vous avez encore raison, mon cher Cléante. Allons remercier Sa Majesté le roi. Ensuite, marions Valère et Mariane.

Dossier

L'affaire Tartuffe

Louis XIV prend le pouvoir

Quand Molière écrit *Tartuffe*, en 1664, le roi Louis XIV, à vingt-six ans, est déjà le chef d'État le plus puissant que la France ait jamais connu. Mais cela a été très difficile.

En effet, après la mort de son père Louis XIII, en 1643, le roi n'est encore qu'un enfant dirigé par sa mère et son conseiller, Mazarin. Ce Mazarin, un Italien, n'est pas aimé en France. La noblesse* pense que c'est le moment d'essayer de reprendre le pouvoir en le chassant. Une guerre commence alors, que l'on a appelée «la Fronde». Ce nom est celui d'un jouet d'enfants, mais l'affaire était très sérieuse. Face aux familles nobles nombreuses et puissantes, le roi n'était qu'un enfant, la reine et Mazarin, détestés par le peuple, étaient des étrangers.

Alors qu'il n'a que dix ans, Louis XIV, sa mère et Mazarin doivent s'enfuir de Paris. Après cinq ans de guerre, le roi peut revenir dans sa ville, aidé par la bourgeoisie*. La noblesse a perdu. Louis XIV va faire venir les nobles dans son château de Versailles pour mieux les surveiller. Il se fait aider par la bourgeoisie et nomme des «intendants» qui vont dans les régions appartenant aux nobles pour y chercher les impôts. Le chef de ces intendants, le surintendant, s'appelle Fouquet. Il devient très riche et vit comme un roi dans son château de Vaux-le-Vicomte. Il donne de grandes fêtes, aide les écrivains, les musiciens et les peintres.

Louis XIV comprend le danger. Maintenant que la noblesse lui obéit, la bourgeoisie, à son tour, peut devenir trop forte. Juste après la mort de Mazarin, il fait mettre Fouquet en prison. La bourgeoisie comprend alors qu'il lui faut, elle aussi, être avant tout au service du roi.

Louis XIV est le seul maître de la France. Dans son château de Versailles, qu'il fait construire à partir de 1661, toutes les personnes importantes du pays doivent le servir. Il y donne des fêtes magnifiques. Molière et le musicien Lully y présentent de grands spectacles. Ce sont presque des fêtes religieuses dont le dieu est Louis XIV, que l'on appelle maintenant le Roi-Soleil.

Les dévots et la Compagnie du Saint-Sacrement

Bien sûr, l'Église catholique, très puissante en France à cette époque, ne peut accepter que le roi agisse comme un dieu, un dieu qui ne ressemble pas du tout à celui des chrétiens. Après la noblesse et la bourgeoisie, Louis XIV va maintenant essayer de se faire obéir par l'Église.

Mais l'Église a une arme redoutable : la Compagnie du Saint-Sacrement. C'est une société secrète qui, au départ, regroupe les dévots qui veulent que les Français obéissent dans leur vie de tous les jours aux ordres de la religion. Pourtant le premier des Français, Louis XIV, n'y obéit pas vraiment ; il n'est pas fidèle à la reine son épouse, donne de l'argent à ses maîtresses et impose ses enfants illégitimes [1].

---

1. Enfants illégitimes : qui ne sont pas nés d'un couple marié.

Les fêtes de Versailles, le luxe, tout cela va contre ce que voudrait la Compagnie. La noblesse fait comme le roi. Des idées nouvelles naissent et sont dangereuses pour l'Église, comme le libertinage* : les libertins pensent en effet qu'on a le droit de ne pas suivre les lois de l'Église et de vivre comme on le veut.

La Compagnie gagne de l'influence, même à Versailles : la mère du roi, le président du parlement de Paris, Lamoignon et d'anciens libertins, comme le prince de Conti, en font partie. Ce dernier avait pourtant, quelques années avant, protégé Molière. Mais il est devenu l'un des hommes les plus importants de la Compagnie.

Molière défend le théâtre

Molière, le directeur de l'Illustre-Théâtre, va être mêlé à cette guerre pour le pouvoir. À quarante-deux ans, en 1664, il est très célèbre. Son théâtre est devenu le théâtre du roi. Louis XIV l'a même invité à sa table pour déjeuner, alors que les nobles restaient debout et servaient les plats.

Molière a beaucoup d'ennemis : des jaloux, bien sûr, mais aussi les gens dont il s'est moqué dans ses pièces, les médecins, les précieux et une partie de la noblesse.

Mais il a, sans le savoir, un ennemi plus dangereux encore : l'Église catholique et son «armée», la Compagnie du Saint-Sacrement. En effet, l'Église n'aime pas le théâtre. Au point que, les acteurs, à leur mort, n'ont pas le droit d'être enterrés dans les cimetières.

On ne sait pas quelles étaient vraiment les opinions religieuses de Molière. On pense aujourd'hui qu'il était plutôt du côté des libertins. Mais il était assez prudent pour ne pas trop montrer ce qu'il pensait.

Après le succès de sa pièce, *l'École des femmes* (1662), il est attaqué avec violence par les dévots, et donc par la Compagnie qui, elle, veut faire interdire toutes les pièces de théâtre. Pour se défendre, Molière décide d'écrire *Tartuffe*.

Jacques Cretenet, instituteur et prêtre de la congrégation des prêtres missionnaires de Saint-Joseph-de-Lyon. Il servit sans doute de modèle à Molière pour Tartuffe.

Trois Tartuffe, un Dom Juan

La pièce est jouée d'abord à Versailles le 12 mai 1664, sous le titre *le Tartuffe ou l'Imposteur**, devant le roi qui rit beaucoup. Mais les dévots vont tout faire pour interdire la pièce. La mère de Louis XIV, le prince de Conti et bien d'autres ne cessent pas de le demander au roi.

Molière se défend comme il peut et dit qu'il ne se moque pas des vrais dévots, mais des faux : des hypocrites.

Le roi décide alors que la pièce ne pourra pas être jouée en public, mais seulement chez les gens qui voudront la voir chez eux.

Pour montrer qu'il n'est pas un libertin et qu'il est vraiment catholique, Molière écrit alors *Dom Juan*, l'histoire d'un noble espagnol qui se croit tout permis : il prend toutes les femmes qu'il veut, tue qui il veut, ne paye pas les gens à qui il doit de l'argent, etc. Vers la fin de la pièce, Dom Juan, qui a peur de se voir puni par l'Église, décide de devenir un faux dévot, un hypocrite, un imposteur. Il ose alors s'opposer à Dieu qui l'envoie en enfer.

Avec *Dom Juan*, Molière pense qu'il va faire plaisir à la Compagnie du Saint-Sacrement. Mais il ne voit pas qu'il se fait surtout de nouveaux ennemis : la noblesse, très souvent libertine. Et tout le monde a pu voir que *Dom Juan* ressemblait beaucoup au prince de Conti. La pièce, pourtant l'une des plus réussies de Molière, n'a aucun succès.

Il décide alors d'écrire un nouveau *Tartuffe*, car il veut que le public voie cette pièce. C'est pour lui très important. Le deuxième *Tartuffe* s'appelle *Panulphe*. Ce n'est plus un personnage habillé comme un homme d'Église, mais comme un homme du monde. Beaucoup de passages contre les faux dévots sont moins durs.

Panulphe est joué pour la première fois au théâtre du Palais-Royal à Paris, le 5 août 1667. Le roi n'est pas là : il fait la guerre dans le nord de la France et en Belgique. Dès le lendemain, *Panulphe* est interdit par le président du parlement de Paris, M. Lamoignon, chef de la Compagnie. Molière écrit à Louis XIV pour qu'il le défende. Mais celui-ci a d'autres choses à faire que de penser au théâtre ! Et *Panulphe* ne sera joué qu'une seule fois. On sait peu de choses de cette pièce, car elle a disparu.

Molière écrit une autre pièce, *le Misanthrope,* pièce très belle qui montre vraiment que son auteur est le plus grand écrivain de son temps et qu'il invente un nouveau théâtre. Mais dans *le Misanthrope,* il n'est pas question de « politique ».

Après le succès du *Misanthrope,* Molière se sent plus fort. Il décide d'écrire un nouveau *Tartuffe.* Le roi, qui a gagné la guerre et en a commencé d'autres, trouve maintenant que la Compagnie du Saint-Sacrement et l'Église catholique ont trop de pouvoir ; pour lui, la France doit avoir un seul maître : le roi. Il permettra donc au dernier *Tartuffe* d'être joué devant le public parisien.

Dans ce dernier *Tartuffe,* celui que nous connaissons, le personnage est maintenant entre l'homme d'Église et l'homme du monde. La pièce est jouée pour la première fois en public le 5 février 1667. Les Parisiens avaient attendu près de quatre ans avant de pouvoir la voir. Et l'« affaire Tartuffe » était devenue célèbre. C'est alors un très grand succès : jusqu'à la mort de Molière, six ans après, elle sera jouée soixante-dix-sept fois, ce qui, en ce temps-là, était très rare.

Dans sa lutte pour défendre le théâtre et la liberté de dire et d'écrire ce que l'on veut, Molière a gagné contre les vrais et les faux dévots.

Mots et expressions

Âme, *f.* : dans la religion chrétienne, partie de l'homme qui n'est pas le corps, mais la pensée.

Bourgeoisie, *f.* : ensemble des bourgeois, personnes riches, mais qui n'étaient pas nobles.

Charité, *f.* : qualité chrétienne de celui qui aide les pauvres et les malheureux.

Cloche, *f.* : objet en métal placé dans le haut des églises (le *clocher*) et qui sonne pour donner l'heure et indiquer le moment de la messe.

Cocu, *m.* : mari dont la femme va avec d'autres hommes. Le cocu était souvent joué au théâtre.

Contrat de mariage, *m.* : texte que les mariés signent le jour de leur mariage pour accepter les droits et les devoirs des époux.

Couvent, *m.* : endroit où vont les personnes qui décident de passer toute leur vie dans la religion.

Dévot, dévote : personne très croyante qui obéit à tous les ordres de l'Église. Tartuffe est un faux dévot.

Diable, *m.* : ennemi de Dieu. La force du mal.

Enfer, *m.* : dans la religion chrétienne, endroit où vont les morts qui ont mené une mauvaise vie.

Exempt, *m.* : policier chargé d'arrêter les coupables.

Fronde, *f.* : jouet d'enfant qui envoie des cailloux. On a appelé la Fronde la guerre des nobles contre Mazarin, pour se moquer d'eux.

Huissier, *m.* : personne chargée de réaliser les décisions de la justice.

Hypocrite, *m.* et *f.* : personne qui fait croire qu'elle a des qualités qu'elle ne possède pas. Dans la religion, celui qui fait semblant d'être très croyant.

Imposteur, *m.* : personne qui fait croire qu'il est quelqu'un d'autre, qui prend la place de...

Libertin, *m.* : personne qui ne respectait pas les ordres de l'Église et voulait vivre très librement. Beaucoup de libertins ne croyaient pas en Dieu. Libertin signifie aujourd'hui : personne qui se conduit mal. Dom Juan est un libertin.

Libertinage, *m.* : ensemble des idées des libertins.

Messe, *f.* : réunion des chrétiens à l'église pour prier.

Nobles : personnes qui entouraient le roi, qui possédaient des terres. Ils avaient beaucoup de droits mais pas celui de travailler. Ils ne payaient pas d'impôts, mais pouvaient en demander, etc.

Noblesse, *f.* : ensemble des nobles.

Péché, *m.* : mauvaise action faite contre les ordres de Dieu et de l'Église.

Pécheur, *m.* : personne qui fait des péchés.

Précieux : poètes et écrivains du XVIIᵉ siècle qui parlaient et écrivaient dans un langage très compliqué. Molière s'est moqué de cette école littéraire dans *les Précieuses ridicules.*

Saignée, *f.* : autrefois on soignait les malades en leur faisant une saignée, c'est-à-dire en leur enlevant du sang.

Saint, *m.* : dans la religion catholique, personne qui, après sa mort, est adorée par les croyants. On dit d'un homme vivant qu'il est un saint quand sa vie est un exemple pour tous.

Serviteur, servante : personne payée pour aider aux travaux de la maison.

Signe de croix, *m.* : geste religieux qui rappelle la croix sur laquelle est mort Jésus-Christ.

Société secrète, *f.* : groupe d'hommes et de femmes qui se cachent pour faire en secret des actions politiques ou religieuses.

Surintendant, *m.* : chef des intendants chargés de prendre les impôts.

Vêpres : messe qui avait lieu quand le soir tombait.

TITRES PARUS OU À PARAÎTRE

Série Vivre en français

Niveau 1 : La Cuisine française ; Le Tour de France.

Niveau 2 : La Grande Histoire de la petite 2 CV ; La Chanson française ; Paris ; La Bourgogne*.

Niveau 3 : Abbayes et cathédrales de France ; Versailles sous Louis XIV* ; La Vie politique en France* ; Le Cinéma français*.

Série Grandes œuvres

Niveau 1 : Carmen, *P. Mérimée* ; Contes de Perrault.

Niveau 2 : Lettres de mon moulin, *A. Daudet* ; Le Comte de Monte-Cristo, *A. Dumas*, tome I ; Le Comte de Monte-Cristo, *A. Dumas*, tome II ; Les Aventures d'Arsène Lupin, *M. Leblanc* ; Poil de Carotte, *J. Renard* ; Notre-Dame de Paris, *V. Hugo*, tome I ; Notre-Dame de Paris, *V. Hugo*, tome II ; Germinal, *É. Zola* ; Tristan et Yseult* ; Cyrano de Bergerac*, *E. Rostand*.

Niveau 3 : Tartuffe, *Molière* ; Au Bonheur des Dames, *É. Zola* ; Bel-Ami, *G. de Maupassant*.

Série Portraits

Niveau 1 : Victor Hugo ; Alain Prost* ; Vincent Van Gogh*.

Niveau 2 : Colette ; Les Navigateurs français.

Niveau 3 : Coco Chanel ; Gérard Depardieu ; Albert Camus*.

* Titres à paraître en 1994.

Deux dossiers de l'enseignant sont parus (un pour 12 titres).

Imprimé en France par I.M.E. - 25110 Baume-les-Dames
Dépôt légal n° 0856-05/1994
Collection n° 04 - Edition n° 02
15/4937/7